LE CHOC DU NOUVEAU SIÈCLE

LE CHOC DU NOUVEAU SIÈCLE

LES PHOTOGRAPHES DE L'AFP RACONTENT

Préface de **Franz-Olivier Giesbert**

DENOËL

En hommage à Paolo Cocco, Sven Nackstrand, Teh Eng Koon, photographes de l'AFP
décédés au cours de la décennie.

Cet ouvrage a été réalisé sous la direction de Marielle Eudes

Ce que la photo nous raconte Une photo, c'est un article : elle raconte, résume et transperce. Mais ce n'est pas seulement un article, lequel résiste souvent mal aux années et même aux jours. Un article de journal est à peu près aussi périssable que le poisson ou le fromage qu'il enveloppera sous peu au marché du coin. Même chose pour le reportage télévisé. Au bout de quelques années, il date, il sent l'archive. La photo, elle, peut fixer à jamais un moment d'Histoire. Elle reste gravée. Au moins dans nos têtes.

Je cherche en vain un exemple d'article qui n'aurait pas été atteint par les ravages des ans. On relit toujours avec le même bonheur les chroniques de Sainte-Beuve, Maupassant, Proust ou Rinaldi, dès lors qu'elles ont pris du recul avec l'actualité, mais rares sont ceux qui auront l'idée de replonger, juste pour le plaisir, dans les reportages, les enquêtes ou les analyses des vieux journaux. Ils jaunissent toujours plus vite que le papier qui les héberge. À peine imprimés, ils sont déjà morts ou presque. Telle est la tragédie du journalisme. Sa grandeur aussi, soit dit en passant.

Les photos des célébrations nazies de Nuremberg ou des accords de Yalta en 1945 n'ont pas pris une seule ride. Fermez les yeux, vous les reverrez tout de suite. Elles sont encore vivantes, telles que l'éternité les a figées. Comme les portraits de Nadar ou les instantanés de Robert Capa qui semblent toujours sortir de la chambre noire. Il y a là quelque chose d'injuste quand on pense à tous ces grands reportages, parfois signés d'immenses écrivains, qui sont passés dans les oubliettes de l'Histoire d'où personne ne songe à les exhumer.

Je n'irai pas jusqu'à parler de supériorité de la photo sur l'article, mais il n'est pas douteux qu'elle a parfois quelque chose de plus pour survivre ainsi à tout avec tant d'insolence. Elle accomplit alors un des grands rêves de l'humanité : abolir le temps et traverser les siècles. Là est sa réussite. Il suffit au demeurant d'ouvrir cet album pour s'en convaincre : chaque photo est un choc et on peut rester longtemps devant, à scruter chaque détail, comme quand on regarde un tableau de Titien dans un musée. Toutes nous parlent mais elles disent des choses différentes : certaines crient, tandis que d'autres se moquent.

Dans ce livre, de grands photographes de l'AFP nous racontent la première décennie du nouveau siècle en jouant sur tous les registres : le rire, l'émotion, la révolte ou les larmes. Sans parler des grandes toiles, comme les inondations en Camargue (p. 112), les immigrés africains des Canaries (p. 140), le nouvel an à Kaboul (p. 281) ou la marée noire du golfe du Mexique (p. 322). Autant de photos qui nous restituent dans sa variété le monde actuel, fait de bonheurs, d'horreurs et d'injustices, dans lequel nous pataugeons tous.

La force de cet album est aussi de nous faire vivre le travail de chaque photographe qui nous relate la genèse de son cliché. Les dessous, la petite histoire, le « making of » comme on dit. Il y a dans cet album des images qui nous poursuivront longtemps, comme la terreur du petit Monday dans son bidonville du Kenya (p. 230) ou la mort de Fadel, le cameraman, à Gaza (p. 252), avec des commentaires qui nous serrent le cœur.

L'humoriste George Bernard Shaw disait qu'un journal est une institution incapable de faire la différence entre un accident de bicyclette et l'effondrement d'une civilisation. Il aurait eu raison si la photo ne faisait souvent entrer l'accident de bicyclette dans la légende et dans l'Histoire. Tant il est vrai que cette discipline, quand elle n'est pas frelatée, transfigure tout.

Franz-Olivier Giesbert

2000

« Et le bug n'a pas eu lieu… »
Pierre-Frank Colombier

Réfugiée tchétchène.
Caucase russe.
10 janvier 2000

Après une première guerre contre la république indépen-
dantiste du Caucase, les hostilités reprennent à l'automne
1999 en Tchétchénie où l'armée russe intervient de nouveau. Le bilan sera plus meurtrier encore que lors du
premier conflit, avec des bombardements intensifs sur
la capitale, Grozny, nombre d'exactions, d'atrocités de tout
bord et d'attentats sanglants.

" Ce matin-là, un bus de réfugiés quittait la
Tchétchénie, comme chaque jour depuis des
semaines. Les combats faisaient rage, comme
chaque jour… Que regardait cette femme ? Les
soldats russes au check-point. Tout était dans ses
yeux…
Le Kremlin avait tiré les leçons de la première
guerre de 1994-1996, au cours de laquelle les
journalistes avaient pu circuler sans restrictions
dans la république rebelle du Caucase russe et
rapporter ce qui se passait. Dès l'automne 1999,
aux premiers jours du déclenchement de « l'opération antiterroriste » – la terminologie officielle de
Moscou pour ce second conflit –, la frontière avait
été fermée à la presse. "

Alexandre Nemenov

En dépit d'une certaine « normalisation » aujourd'hui
et d'une reconstruction de plus en plus visible, la situation n'est pas stabilisée. La république est désormais sous
la coupe du clan du leader tchétchène pro-russe Ramzan
Kadyrov, et l'instabilité et la violence ont en partie gagné
l'Ingouchie et le Daghestan, les républiques russes voisines de la Tchétchénie.
Loin d'avoir aidé à lutter contre le terrorisme, l'interminable conflit russo-tchétchène a engendré une génération
de personnes n'ayant connu que le chaos et la violence,
des vagues de réfugiés, et a propagé un islam radical dans
cette région de tradition soufie qui se distinguait par sa
modération.

Décharge de Port-au-Prince.
Haïti.
23 novembre 2000

"C'est une image d'une affligeante banalité.
Nous sommes dans l'énorme décharge qui
enserre une partie de la baie voisine de Port-au-
Prince. Ce pourrait être aussi dans des milliers
d'endroits ailleurs dans le monde. Là où des millions de laissés-pour-compte tentent de récupérer le peu qui peut l'être pour le recycler. Dans
l'espoir de le revendre. De survivre un jour de plus.
J'ai pris cette photo il y a dix ans. À l'époque, la
communauté internationale venait de suspen-
dre une aide à Haïti de 600 millions de dollars,
à la suite d'accusations de fraude aux élections
législatives.
Et l'aide, lorsqu'elle arrive, est souvent siphonnée
par des politiciens corrompus, laissant à une
population misérable à peine quelques miettes.
Pour ne pas dire des détritus."

Roberto Schmidt

Sur un peu plus de 10 millions de Haïtiens, 80 % vivent
en dessous du seuil de pauvreté et 54 % dans la pauvreté
la plus totale. Le taux de chômage atteint plus de 65 %
de la population active.

Double page précédente
Lac Rodrigo de Freitas.
Rio de Janeiro.
6 mars 2000

"Un hasard. C'était un samedi de mars 2000,
tôt le matin, et je me baladais à vélo avec mon
appareil. J'ai senti l'odeur, puis j'ai découvert les
poissons morts sur la berge du lac. Les experts
ont expliqué ce phénomène par un vent inhabi-
tuellement fort qui avait remué les eaux et libéré
des polluants qui ont contaminé l'oxygène et tué
les poissons. C'est une photo paradoxale. La mort
de ces poissons qui rend la photo belle."

Antonio Scorza

Le lac Rodrigo de Freitas est une étendue d'eau salée
située dans les quartiers huppés dans le sud de Rio de
Janeiro. Un phénomène similaire s'est reproduit en
mars 2010 : des dizaines de tonnes de poissons sont morts.
Les chercheurs ont évoqué la prolifération d'une algue au
fond de l'eau et le déversement d'eaux usées dans le lac
pour expliquer le phénomène.

Kewee. Défilé Yves Saint Laurent.
Niamey. Niger.
Novembre 2000

En novembre 2000, le couturier français Yves Saint Laurent a participé à la deuxième édition du Festival international de la mode africaine à Niamey.

" Nous avions demandé de faire une photo différente, en dehors du défilé du soir. Et nous nous sommes mis d'accord pour faire marcher le mannequin Kewee dans l'eau, en tenue Yves Saint Laurent. Je suis au bord de l'eau. J'ai bien essayé de monter sur une pirogue mais cela rendait moins bien. Nous sommes en fin de journée, le soleil commence à se coucher. Quand Saint Laurent a vu la photo, il a demandé à l'avoir. "
Jean-Pierre Muller

Prise d'otages.
Rio de Janeiro.
12 juin 2000

66 J'étais en train de déjeuner dans un restaurant quand la télé a commencé à retransmettre, en direct, la prise d'otages qui se déroulait dans un quartier du sud de Río.
J'ai foncé. Personne ne savait combien de temps cela durerait. Pendant deux ou trois heures, on n'a pas vu grand-chose. Les passagers étaient allongés par terre dans le bus. À cette époque, la technique ne nous permettait pas de nous connecter dans la rue et je devais me tenir prêt à partir pour transmettre dès que j'aurais des photos. La tension était à son comble, les négociations entre la police et le preneur d'otages n'aboutissaient à rien, on ne voyait pas d'issue.
La nuit a commencé à tomber. Je réfléchissais à la lumière et au temps d'exposition quand il y a eu un cri, je ne sais pas si c'était le preneur d'otages qui hurlait ou une victime qui criait de terreur. Le kidnappeur est apparu à la fenêtre du bus avec une otage. J'ai pris cinq photos et je suis parti, l'autre photographe de l'agence restant sur place.
J'étais chez moi en train de transmettre, quand j'ai appris l'épilogue à la télévision : une otage et l'assaillant avaient été tués après l'intervention de la police. C'était un mauvais jour. 99
Antonio Scorza

La prise d'otages dans le quartier du Jardin botanique, une zone résidentielle, a été retransmise en direct par la télévision brésilienne.
Sandro do Nascimento, un homme de 22 ans, s'était emparé du bus 174 avec une dizaine de personnes à bord. Il réclamait 600 dollars. La prise d'otages a duré près de cinq heures et a tourné à la tragédie. Do Nascimento est sorti du bus en se servant d'une femme comme bouclier, la police est intervenue. La passagère et le preneur d'otages ont été tués.
Le réalisateur brésilien José Padilha en a tiré un documentaire quelques années plus tard. Il a retracé le parcours du preneur d'otages, un drogué, ex-enfant des rues, qui avait survécu à la tuerie de la Candelaria, en 1993, lorsque des policiers avaient ouvert le feu sur des gamins qui dormaient dans le centre-ville de Río, tuant huit d'entre eux.

**Victoire de l'équipe de France
à l'Euro 2000. Rotterdam.
2 juillet 2000**

Stade Feijenoord. L'Euro vient de s'achever par une finale
France-Italie à suspense, avec égalisation des Bleus à une
minute du coup de sifflet final et le « but en or » de
l'attaquant David Trezeguet. C'est le deuxième titre euro-
péen pour la France, sacrée championne du monde deux
ans plus tôt.

66 Pour moi, c'était un match comme les
autres : des joueurs qui jouent, des supporters
qui crient. 99

Philippe Huguen

Crash du Concorde.
Gonesse.
25 juillet 2000

" Nous apprenons qu'un Concorde s'est abîmé à Gonesse, moins de deux minutes après son décollage, près de l'aéroport parisien de Roissy. L'appareil s'est écrasé sur un hôtel. Des témoins, qui ont vu dans le ciel une grande flamme sortir de l'avion, ont donné l'alerte. Il y a de nombreuses victimes. J'organise alors de quoi équiper un bureau déporté, pour diffuser directement depuis les lieux du drame. Et une petite équipe fonce sur place.

Mais les toutes premières photos, celles qui montrent le crash, ne pourront venir que de témoins, sur les lieux au moment des faits. C'est souvent le cas lors de drames ponctuels et soudains. Pour le crash du Concorde, comme pour les premières images du tsunami en 2004, un de nos concurrents négociera l'image d'un spotter (un photographe amateur passionné d'aviation, qui vient souvent en bout de piste pour photographier le décollage des appareils). De notre côté, nous récupérerons une série d'images du supersonique en flammes réalisée par un employé de l'aéroport. La qualité n'est pas bonne, mais l'information est là. "

Éric Baradat
(éditeur photo)

L'accident de juillet 2000 à Gonesse (Val-d'Oise) a fait 113 morts, dont 4 tués au sol. Une lamelle en métal d'un autre appareil de Continental Airlines aurait provoqué l'éclatement d'un pneu. Les projections auraient crevé un réservoir, provoquant une fuite du carburant qui s'est enflammé. Mais la sécurité du Concorde sera aussi mise en question.

C'était le premier crash du supersonique, après vingt-quatre ans d'exploitation.

Seul supersonique en service commercial au monde, capable de voler à deux fois la vitesse du son, le Concorde fut longtemps symbole de luxe, d'avancée technologique et de sûreté.

Ouverture des Jeux olympiques.
Sydney.
15 septembre 2000

" Quand est apparue l'Australienne Cathy Freeman, la dernière athlète à assurer le relais de la flamme olympique, je me souviens avoir été brièvement troublé par sa tenue blanche qui brillait… La scénographie m'a particulièrement frappé : elle s'est positionnée au milieu d'un bassin empli d'eau avant d'allumer un cercle de feu à ses pieds. C'était un symbole important de voir une athlète aborigène allumer la vasque olympique des Jeux de Sydney. "

Kazuhiro Nogi

La séquence est marquée par un incident technique : l'ascension de la vasque jusqu'au sommet du stade a été bloquée plusieurs minutes, avant de se poursuivre grâce à l'intervention de techniciens en coulisse.
Ce contretemps n'a pas perturbé outre mesure l'athlète, qui a remporté quelques jours plus tard la médaille d'or du 400 mètres dames lors de ces Jeux.

Deuxième Intifada.
Ramallah. Cisjordanie.
12 octobre 2000

La deuxième Intifada a commencé deux semaines plus tôt. Ce jour-là, quatre réservistes israéliens circulant dans une voiture banalisée sont arrêtés par la police palestinienne dans la ville de Ramallah en Cisjordanie et conduits au commissariat de la ville. La rumeur que la police détient des espions se répand comme une traînée de poudre. Et une foule ivre de vengeance envahit le commissariat et tue deux des hommes à coups de poignard. Les deux autres sont évacués par les services de sécurité palestiniens. Le corps d'un des deux réservistes est jeté par la fenêtre du commissariat et battu par la foule.

" Je me trouvais à Ramallah. Des hommes en armes investissaient la ville, des hélicoptères israéliens tiraient sur des positions des services de sécurité palestiniens. Soudain, une foule en colère m'a pointé du doigt, aux cris de : « Un Juif, un Juif ! » La foule s'est rapprochée, les coups de pied, de poing, sont partis. Un gamin me volait mes lunettes, d'autres vidaient mon sac. Je criais en arabe, mais les coups continuaient, et les insultes, et les crachats. Je leur ai crié : « Vous êtes tous des lâches, venez vous battre un contre un. » Un homme en costume-cravate s'est alors avancé, mon passeport français et ma carte de presse à la main. « Prends ça et dégage, quitte la ville et qu'on ne te revoie plus. » Mes jambes ne me portaient plus, mes mains tremblaient. Dans la voiture un peu plus tard, mon portable a sonné : un pigiste palestinien sur place (il a demandé à garder l'anonymat, la photo est signée d'un pseudonyme) : « Viens vite, j'ai des photos. – Des photos de quoi ? » lui dis-je. « De l'Israélien qui s'est fait lyncher », me répond-il.
À l'extérieur de la ville, Arij m'explique qu'il a volé des images au grand-angle, qu'il ne sait pas vraiment ce qu'il a. Il me raconte la scène, et me dit qu'il ne faut surtout pas que son nom apparaisse. Ni même que quelqu'un sache qu'il m'a remis des films. À la vue des négatifs, j'ai compris que nous avions là des documents exceptionnels et apparemment exclusifs. À part lui, seule une chaîne de la TV italienne avait réussi à filmer la scène.
Aux curieux qui me demandaient qui était ce photographe inconnu, Chris Gerald, comment il s'était trouvé devant le commissariat à ce moment-là, je répondais : « Un touriste perdu à Ramallah. » "

Patrick Baz
sur une photo de **Chris Gerald**

Élection présidentielle américaine.
Floride.
25 novembre 2000

La Floride était au cœur de l'actualité mondiale en cette fin novembre 2000 : du résultat du vote controversé dans cet État dépendait en effet le sort de la présidentielle américaine, finalement remportée après un long suspense par George W. Bush contre le démocrate Al Gore.
L'un des épisodes de cette saga fut le recomptage des bulletins dans trois comtés de Floride et l'examen des fiches perforées produites par des machines à voter souvent vieillissantes et défaillantes. Cet examen, aussi long que fastidieux, est illustré ici par le juge Rosenberg du comté de Broward, écarquillant les yeux jusqu'à en loucher pour déchiffrer les perforations d'une de ces fameuses fiches.

« Les examinateurs du comté de Broward ayant pris du retard, ils avaient décidé de travailler le jour de Thanksgiving – la fête la plus importante aux États-Unis – et j'espérais que la journée serait courte. J'ai photographié tous les examinateurs réunis autour de la table, alors que le juge Rosenberg manifestait une irritation grandissante et de plus en plus visible. J'étais censée faire une ou deux photos et partir. Après tout, il s'agissait de gens se crevant les yeux sur de petits trous dans des fiches cartonnées : pas très excitant *a priori* !
Comme il n'y avait pas de moyen de transmettre mes photos de la salle, j'ai décidé de rentrer chez moi pour envoyer mes clichés et, pour gagner du temps, j'ai commencé à les télécharger dans la voiture. Mais une fois arrivée à la maison, catastrophe, aucune photo ne voulait s'ouvrir. C'était la panique ! L'examen des bulletins devait s'être achevé une demi-heure plus tôt. Mais ouf ! la séance était loin d'être terminée et j'avais le temps de revenir et de tout reprendre de zéro. Les photos étaient même meilleures qu'au début de la journée, le juge Rosenberg se montrant de plus en plus animé et expressif. J'aurais aimé pouvoir rester plus longtemps. Je suis sûre qu'il s'est encore amélioré au fil des heures.
J'ai finalement envoyé une demi-douzaine de clichés du juge Rosenberg. Je n'arrivais pas à choisir : ses mimiques étaient plus désopilantes les unes que les autres. »

Rhona Wise

Destruction des Bouddhas.
Bamyan. Afghanistan.
1er mars 2001

Depuis près de deux mille ans, les deux Bouddhas géants étaient nichés dans la falaise de Bamyan (Hazaradjat, centre). En mars 2001, ils sont détruits par les talibans.

" Ces Bouddhas étaient à couper le souffle. 55 et 38 mètres de haut, sculptés dans cette falaise qui tranchait avec la verdure de la plaine. Depuis deux ans les talibans régnaient sur Kaboul, c'était l'été 1998. Je suivais le siège du Hazaradjat par les talibans. Un vrai blocus. Les Hazaras – que toutes les ethnies méprisaient parce qu'ils étaient en majorité chiites – crevaient comme des mouches. Bamyan, la capitale régionale, c'était une grande rue de terre battue avec des échoppes de chaque côté. À ce moment-là, il y avait encore les combattants du Hezb-i-Wardat, le grand mouvement hazara d'Abdul Karim Khalili. La ville est tombée en septembre. Après, les talibans se sont comportés comme des chiens. Je dois être l'un des derniers journalistes à avoir vu les Bouddhas debout. Les photographes du bureau m'avaient donné un appareil. On a ressorti les photos quand on a appris qu'ils allaient être détruits.
Le chef suprême des talibans, le mollah Mohamed Omar, avait voulu d'abord montrer qu'il n'était pas si sectaire et qu'il était capable de satisfaire les demandes des Occidentaux. En 1999, il avait publié un décret affirmant qu'il fallait protéger les Bouddhas car ils ne faisaient plus l'objet d'un culte et représentaient une source de revenus touristiques. Un an après, il annonçait l'éradication de l'opium. En dépit de ces mesures, en 2000, l'ONU a renforcé ses sanctions contre le régime. Se sentant ostracisé, le mollah Omar s'est rangé à l'avis de l'aile dure des talibans.
La destruction des Bouddhas de Bamyan, c'est la victoire des radicaux favorables à l'alliance avec Al-Qaïda : quand le mollah Omar ordonne la destruction de toutes les statues en Afghanistan, y compris celles des époques préislamiques, il fait plaisir aux salafistes. Selon ces partisans de l'islam rigoriste, la représentation humaine est interdite. Il leur a fallu trois semaines pour en venir à bout. C'était en mars 2001. Ils ont bourré d'explosifs les escaliers intérieurs, les passages qui menaient des Bouddhas à la falaise, les cavités. Les élites intellectuelles afghanes ont été très sensibles à cette destruction. Mais la population de Bamyan et les Hazaras n'avaient pas grand-chose à en faire. Les gens disaient aux Occidentaux : « Vous vous préoccupez de la pierre mais pas du peuple. » "

Jean-Claude Chapon

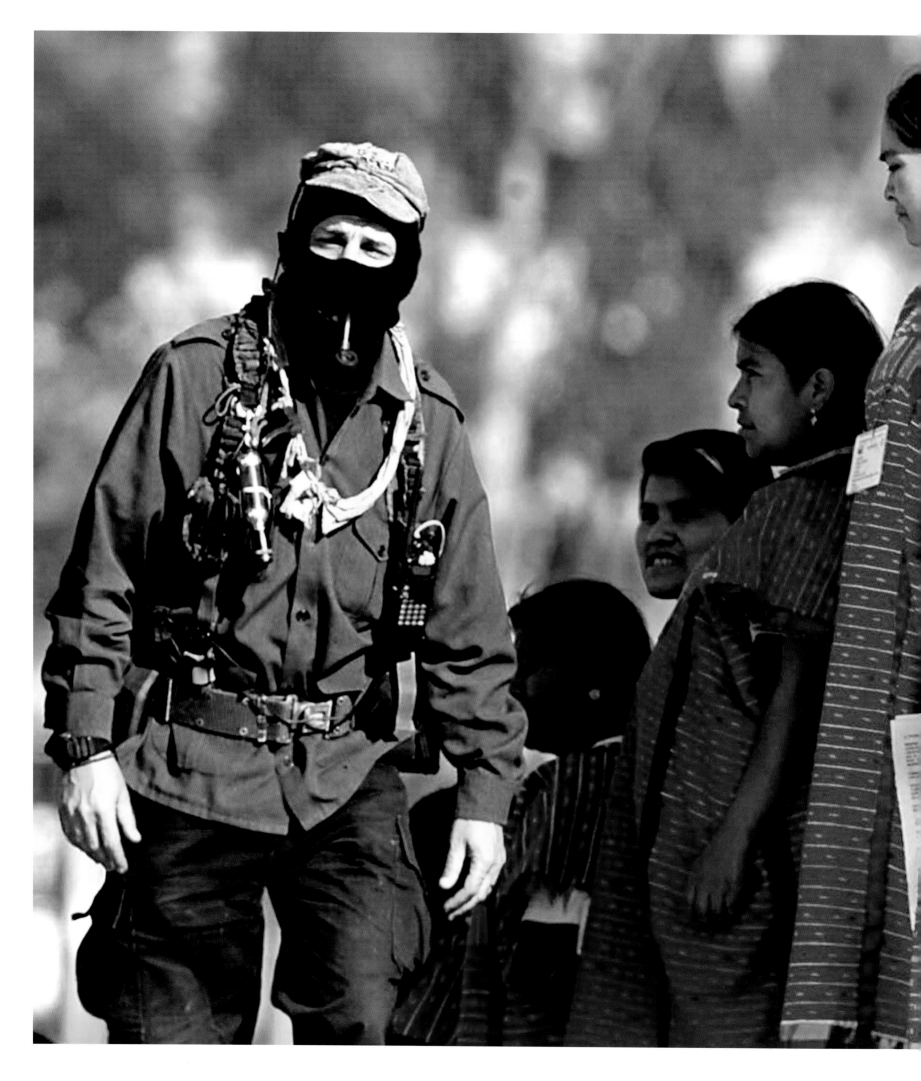

Le sous-commandant Marcos.
Chiapas. Mexique.
22 mars 2001

Le sous-commandant Marcos, chef de l'EZLN, un mouvement de rébellion mexicain, est parti en 2001 en « tournée » au Mexique pour promouvoir les droits des Indiens, avant de rentrer dans son fief du Chiapas. Cet État, le plus pauvre et le plus densément peuplé d'Indiens du pays, est le berceau de cette guérilla qui a cessé le combat armé en 1995.

Entouré de représentants indigènes, Marcos va faire ses adieux au public, après avoir sillonné le pays pendant un mois dans le cadre de ce qui a été baptisé, de manière assez péjorative, le « zapatour ».
Sur une photo, toujours encagoulé, il chante l'hymne national du Mexique dans un parc à Puebla.
Quelques semaines plus tard, je le retrouve dans la capitale, juste après qu'une délégation de l'EZLN [l'armée zapatiste de libération nationale] s'est exprimée devant le Parlement. L'attente était grande parce qu'il était question que le sous-commandant prenne la parole et enlève enfin son passe-montagne. Finalement, rien de tout ça, Marcos n'est même pas entré dans le bâtiment du Parlement. Il montera sur scène, sur une estrade construite dans la rue, juste à côté du Parlement.
Le grand attrait du convoi zapatiste, pour les journalistes comme pour le public, c'était Marcos lui-même : son incontestable talent d'orateur allié au magnétisme du mythe, ravivé par la tournée. Régulièrement, on entendait une voix féminine lui déclarer un amour éternel, ce à quoi il répondait avec un plaisir évident, visiblement très à l'aise dans son rôle de sex-symbol de la nouvelle gauche.

Jorge Uzon

**Fièvre aphteuse.
Écosse.
4 mars 2001**

Quand, au début de l'année 2001, les vaches et les moutons de Netherplace, une ferme située au sud de Glasgow (Écosse), se mirent à boiter, les éleveurs britanniques comprirent que l'abîme s'ouvrait devant eux. La fièvre aphteuse était de retour. Terriblement contagieuse. Plus de 6 millions de bêtes allaient être abattues. Le coût de la catastrophe avoisinerait les 12 milliards d'euros.

" Ce fut l'enfer. Les éleveurs voyaient leurs vaches s'éteindre, les muqueuses à vif, incapables d'ingérer la moindre nourriture. Les femelles en gestation avortaient. Comme les moutons ou les porcs, les bovins boitaient, perdaient leurs sabots. Le bétail dépérissait, la production de lait était en chute libre. Pour les éleveurs, c'était la ruine, le désastre absolu. Leur cheptel n'avait plus aucune valeur commerciale.
Ce fut aussi l'enfer pour les autorités, qui tentaient d'instaurer des cordons sanitaires pour endiguer le fléau. Et qui se trouvaient soudainement aux prises avec des centaines de journalistes qui n'avaient pas hésité à parcourir des milliers de kilomètres pour couvrir cette hécatombe. Dans la région de Lockerbie, où je me trouvais, il était quasi impossible de rencontrer les fermiers et les éleveurs. En raison des zones d'exclusion instaurées par les autorités, mais aussi parce qu'il s'agissait de propriétés privées.
Pourtant, je n'avais aucun mal à imaginer leur désespoir, leur vie de labeur brutalement anéantie. J'en avais mal pour eux. On abattait leurs bêtes par centaines. Puis on les incinérait.
Je me souviens comme d'hier de ce 4 mars 2001. De cet immense et sinistre bûcher qui dégageait une âcre fumée. Parce que, soudain, le soleil hivernal fit une percée et la scène apparut irréelle, quasi dantesque. Inoubliable. "

Odd Andersen

Répétition générale du *Lac des cygnes*.
Théâtre du Bolchoï, Moscou.
1er mars 2001

" C'était le retour de Iouri Grigorovitch. Grigorovitch est une légende. Il fait partie des quelques très grands chorégraphes de l'époque soviétique. En 1995, il avait quitté son poste de directeur artistique du Bolchoï en raison d'intrigues internes et là, en mars 2001, pour la première fois, il revenait au théâtre, comme simple chorégraphe. Son come-back était un événement culturel majeur à Moscou.
Ce jour-là, c'était la répétition générale du *Lac des cygnes*. Ambiance travail-travail-travail. Les artistes étaient heureux de danser sous sa direction, c'était très beau. Je suis monté sur la rampe des projecteurs, à 15 mètres de haut. Je ne pensais qu'à une chose : ne pas laisser tomber de matériel qui aurait pu blesser un danseur. "

Alexandre Nemenov

Pendant plus de trente ans, Iouri Grigorovitch a été directeur artistique et chorégraphe principal du théâtre Bolchoï à Moscou. Évincé en 1995, il revient en 2001 avec une nouvelle version du *Lac des cygnes* de Piotr Tchaïkovski. « Je suis pour les ballets bâtis sur un argument concret, mettant en scène des héros aux passions fortes et aux caractères complexes, pour un théâtre dansé où les sentiments sont grands, les heurts violents, l'action énergique », expliquera-t-il quelques années plus tard.

**Rassemblement en faveur
de Mohammad Khatami.
Téhéran.
30 mai 2001**

66 Sur le moment, je me suis dit que, quelques
années plus tard, cette jeune fille aurait à porter
le traditionnel tchador noir, comme les femmes
plus âgées qui l'entourent. Je me suis demandé
s'il y aurait alors une autre fille pour se vêtir en
blanc comme elle… 99

Behrouz Mehri

En Iran, les entorses aux règles de l'islam, concernant
notamment l'habillement des femmes, sont traquées par
la police depuis la révolution islamique de 1979. La présidence du réformateur Mohammad Khatami (1997-2005),
en faveur duquel est organisé un rassemblement ce 30 mai
2001, est marquée par un assouplissement de ces obli-
gations. Il souhaite que les femmes occupent un rôle accru
dans la société iranienne et nomme une vice-présidente.
À l'inverse, l'arrivée au pouvoir du conservateur Mahmoud
Ahmadinejad en 2005 a entraîné une intensification de
ces règles : selon les rapports régulièrement publiés dans
la presse, des milliers de femmes ont été arrêtées ces dernières années et elles ont reçu des avertissements, ou des
amendes en cas de récidive, pour avoir porté des vêtements jugés non conformes aux normes islamiques ou un
foulard laissant apparaître trop de cheveux.

Camp de réfugiés palestiniens.
Rafah. Cisjordanie.
2 mai 2001

Mai 2001 : la deuxième Intifada a éclaté sept mois plus tôt dans les territoires palestiniens. En Israël, Ariel Sharon est arrivé au pouvoir en février.
Au cours des derniers mois, des attentats palestiniens ont été perpétrés en Israël, et l'État hébreu multiplie les raids et incursions dans les Territoires.

« 2 mai 2001, j'arrive avec Rachid, le fixeur, au camp de réfugiés de Rafah, dans le sud de la bande de Gaza. Dans la nuit, des chars et des bulldozers israéliens ont détruit dix-sept maisons. Une femme en pleurs nous entraîne vigoureusement chez elle pour nous montrer les dégâts provoqués par l'intervention de Tsahal. Une fois à l'intérieur, je m'aperçois que des enfants nous observent à travers les trous causés par des tirs israéliens qui ont transpercé la porte. Un œil bleu se dessine dans un impact noirci, instinctivement je fais des photos.
Ce n'est pas très glorieux mais je crois qu'inconsciemment j'ai été influencé par le matraquage promotionnel du logo d'une émission de télé-réalité qui débarquait en France, et dont le principe était de filmer 24 heures sur 24 une dizaine de personnes rassemblées dans une maison et volontaires pour vivre sous l'œil des caméras.
Le fait de pointer sciemment un objectif sur un sujet modifie la réalité. En rentrant le soir à Gaza pour transmettre mes images, je me suis demandé quelle réalité serait modifiée ici, si la vie y était filmée par des caméras 24 heures/24. »

Joël Saget

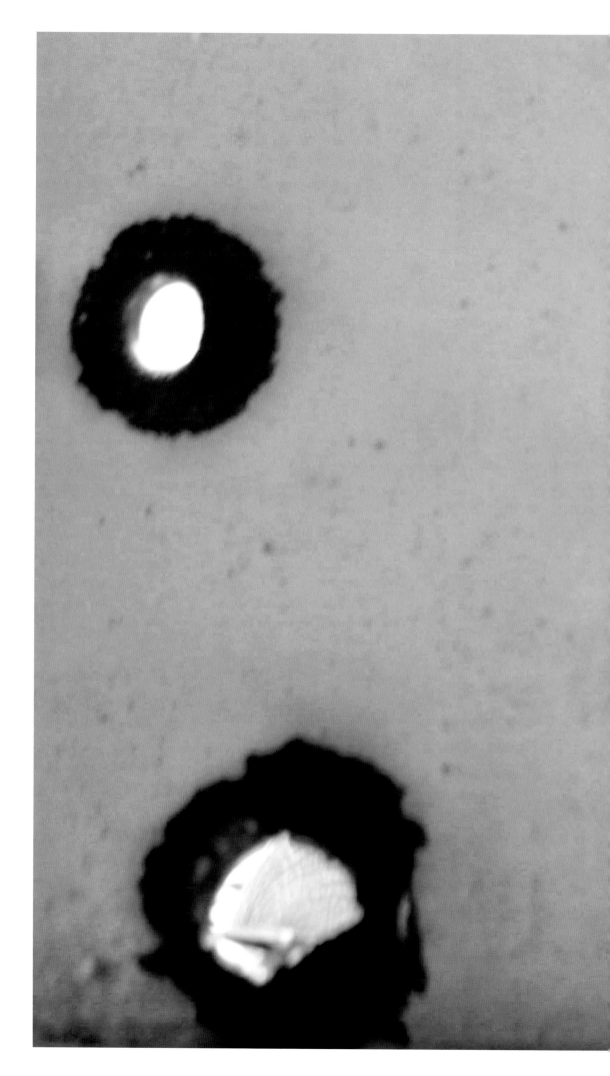

Le commandant Massoud.
Khwaja Bahhudin. Afghanistan.
28 juin 2001

" J'avais déjà beaucoup travaillé en Afghanistan et je connaissais Massoud. Il m'aimait bien et m'avait permis de rester chez lui quelques jours.

J'avais une chambre bien sympathique, avec un tapis et un lit douillet… dans un endroit totalement pourri. Nous étions dans son fief de Khwaja Bahhudin, dans le nord-est de l'Afghanistan, à quelques kilomètres de la ligne de front. En ce mois de juin 2001, Massoud préparait une offensive contre les talibans.

Je suis resté chez lui une semaine. C'était un homme adorable, avec énormément de charisme. Il ne parlait pas beaucoup et toujours d'un ton égal, pas un mot plus haut que l'autre, jamais. Il était très avenant, très gentil.

À cette époque, j'étais un peu fou ; quand je partais en zone de combats, il s'arrangeait toujours pour me coller des gardes du corps, sans que je le sache vraiment. Ils étaient là derrière moi, et quand je m'aventurais trop loin, ils s'approchaient : « *It's not good for you my friend… Stay here, Joël… Slowly, slowly…* » Ses hommes m'ont même appris à monter à cheval. Une catastrophe. Je les faisais rire.

Massoud a vraiment pris soin de moi. Il adorait les journalistes… Il en est mort, d'ailleurs. "

Joël Robine

Le commandant Ahmad Shah Massoud, chef de l'Alliance du Nord qui combattait les talibans au pouvoir à Kaboul depuis 1996, meurt un peu plus de deux mois après cette photo. Il est tué le 9 septembre 2001 dans un attentat suicide. Deux faux journalistes tunisiens munis de passeports belges obtiennent une interview avec lui et font exploser leur caméra piégée. Deux jours avant les attentats du 11 septembre.

George W. Bush.
Saratoga. Floride.
11 septembre 2001

Ce moment capturé et les minutes interminables qui ont suivi ont été abondamment commentés, disséqués, et ont fait l'objet de toutes les spéculations : l'Amérique était-elle gouvernée à ce moment précis ? George Bush expliquera plus tard devant la commission d'enquête qu'il voulait projeter une image de force et de calme avant d'être en mesure de comprendre ce qui se passait. Des mois plus tard, Andrew Card et George Bush ont dédicacé la photo de Paul Richards. Le président a écrit : « Pour Paul. Vous avez saisi un moment historique que je n'oublierai jamais. »

❝ La journée avait pourtant commencé calmement. À Saratoga, lors d'un fastidieux voyage présidentiel, George W. Bush devait visiter une école élémentaire. La routine.
Juste avant que nous entrions dans l'école Emma E. Booker, les téléphones des journalistes commencent à sonner, il y a de l'agitation. Selon un confrère, un petit avion se serait écrasé dans une des tours du World Trade Center, rien d'important. À ce moment, on nous presse d'entrer dans l'école. Bon. J'entre. Bush s'installe sur une chaise devant la classe, il est censé faire une lecture avec les gamins. Les agents de sécurité et le staff présidentiel sont dans une pièce à côté, et j'entends que ça s'agite, je commence à me demander si je suis au bon endroit, dans cette école de Floride.
C'est alors que le chef de cabinet de la Maison Blanche, Andrew Card, entre et se dirige vers le président. Cela n'arrive jamais. Nous réalisons qu'il se passe vraiment quelque chose. Je suis agenouillé au premier rang, devant le parterre de cameramen. La position parfaite. J'ai tout : Card qui lui parle à l'oreille, et surtout, le regard de Bush. Il est 9 heures passées de quelques minutes le 11 septembre 2001. Andrew Card murmure à l'oreille du président américain : « Un deuxième avion a touché la deuxième tour. L'Amérique est attaquée. »
Bush ne dit rien. Pendant environ sept minutes, la lecture se poursuit dans la classe. Je ne crois pas qu'il réalise.
Quand c'est enfin terminé, la folie commence. Nous courons hors de l'école pour téléphoner et obtenir des infos. À 9 h 30, Bush fait une première déclaration, parle d'une « tragédie nationale », « apparemment un acte terroriste ». Les agents de sécurité nous empoignent, nous poussent, on repart à toute vitesse vers l'aéroport et nous sommes fouillés de nouveau, avant de courir vers l'avion. Les agents hurlent : « *Go go go !* » Air Force One a déjà commencé à bouger lorsque j'embarque. ❞

Paul Richards

New York. 11 septembre 2001

"" Le sol était jonché de feuilles de papier, de documents de bureau recouverts de cendre. La tour sud venait de s'écrouler. J'ai vu cet homme qui marchait dans les ruines, un extincteur d'incendie à la main. Il était vêtu d'un uniforme marron, c'était probablement un employé d'un building voisin.

Il criait pour d'impossibles survivants sous les décombres. Il leur demandait de faire du bruit, de se localiser, afin de pouvoir leur venir en aide. Il s'est arrêté quelques secondes, face aux ruines, puis a repris ses recherches.

C'est à ce moment qu'un policier s'est planté en face de moi et m'a crié de partir de là. Autour de nous, tout était désert. Quelques minutes plus tard, le nuage de cendre et de fumée de la tour nord en train de s'écrouler s'est matérialisé autour de nous.

Je me suis réfugié dans un restaurant. La télévision était allumée, CNN. J'ai appris que le Pentagone avait été touché.

Lorsque la poussière s'est dissipée, je suis retourné vers le site. Des pompiers s'approchaient, l'un d'eux m'a demandé où était le World Trade Center. J'ai trouvé ça bizarre, puis j'ai compris qu'il n'était pas de Manhattan.

Je continuais à photographier. Les pompiers, les ambulances commençaient à affluer.

Des heures plus tard, je suis remonté à pied vers nos bureaux sur la 46e Rue. Je me souviens avoir vu, sur la 3e Avenue, quelques personnes qui buvaient des cocktails, attablées à la terrasse d'un bar. J'ai aussi entendu le bourdonnement de deux avions de chasse au-dessus de la ville. Les trottoirs étaient bondés de gens qui remontaient vers le nord de Manhattan. Le ciel était d'un bleu limpide.

Je n'ai jamais su ce qu'était devenu l'homme de ma photo. ""

Doug Kanter

New York. 11 septembre 2001

" Tôt le matin du 11 septembre 2001, un collègue m'a annoncé qu'un avion s'était écrasé dans l'une des tours du World Trade Center.

J'ai immédiatement pris le métro en direction de downtown et je suis descendu à City Hall. Dans la rue, des centaines de personnes regardaient en direction du World Trade Center. Les deux tours étaient maintenant en flammes ; je ne savais pas pourquoi parce que j'étais encore dans le métro quand le deuxième avion s'est écrasé.

Je me suis mis à courir vers les tours. Des centaines de gens couraient dans la direction opposée. Je me suis arrêté pour prendre une photo, et la tour sud a commencé à se briser. Il y a eu un rugissement énorme et, entre les immeubles, j'ai vu s'élever un immense nuage de fumée et de poussière. La tour s'écroulait. Un officier de police nous a fait rentrer dans le hall d'un immeuble pour fuir le nuage qui se ruait sur nous. En quelques minutes, tout est devenu noir à l'extérieur.

C'est alors qu'une femme est arrivée, complètement recouverte de cendre grise. Sous la poussière, on pouvait voir qu'elle était élégamment habillée. Pendant une seconde, elle est restée dans le hall de l'immeuble. J'ai pris une photo d'elle, puis le policier a commencé à faire monter les gens à l'étage pour les mettre en sécurité.

Comme le nuage se dissipait, je suis ressorti dans la rue. On aurait cru qu'il avait neigé. Tout, les immeubles, les voitures, les vivants, tout était recouvert de poussière. Il régnait un calme étrange : les gens marchaient, hébétés, silencieux. J'ai vu l'homme en costume qui progressait à travers la cendre et les ruines, et je l'ai pris en photo, plusieurs fois. À ce moment, je n'avais pas réalisé qu'il tenait toujours sa sacoche.

Nous avons su plus tard que la femme s'appelait Marcy Borders, qu'elle travaillait à la Bank of America dans la tour nord du WTC. L'homme, c'était Ed Fine, un consultant du New Jersey qui avait ce matin-là rendez-vous dans la tour nord. Il a pris contact avec la presse en se reconnaissant en une de *Fortune Magazine*. Nous sommes allés les revoir quelques semaines plus tard. "

Stan Honda

« The Dust Lady », la « dame de cendres » : Marcy Borders, 28 ans à l'époque, a plongé dans une longue dépression après le 11 septembre 2001 et a mis plusieurs années à se remettre. Ed Fine, 58 ans à l'époque, a gardé l'attaché-case et le costume qu'il portait ce jour-là. « Je le porte toujours pour les rendez-vous importants. C'est mon costume de chance », disait-il dans une interview à *The Independent* le 11 septembre 2004.

Explosion de l'usine AZF.
Toulouse.
21 septembre 2001

" L'explosion s'est produite à 10 h 17. J'étais au bureau, nous avons senti une secousse. L'affolement a commencé : les coups de fil se succédaient, les gens parlaient d'attentat, chacun pensait que l'explosion s'était produite près de chez lui : ça se passait dix jours après les attentats du 11 septembre.

J'ai pris mon scooter et j'ai foncé en ville sans trop savoir où je devais aller. Je me suis dirigé vers le palais de justice et en haut d'une avenue j'ai croisé une jeune fille ensanglantée : « C'est à l'ONIA. » L'ONIA (Office national de l'industrie de l'azote), c'est l'ancien nom du site de l'usine AZF, tout le monde à Toulouse l'appelait encore comme ça. J'ai remonté l'avenue. Plus je m'approchais, plus c'était lunaire. Il y avait des gens blessés, des voitures explosées en plein milieu de la chaussée, entièrement recouvertes de poussière. L'odeur d'ammoniac était très forte et un nuage orange flottait au-dessus de l'usine.

J'ai croisé des ouvriers : « N'y allez pas, monsieur, ça va encore exploser. » J'ai pénétré dans ce qui restait de l'usine. Je n'avais encore aucune idée de ce qui s'était passé… Toulouse, c'est ma ville. Je venais d'y revenir… Je ne sais pas comment expliquer, mais j'étais bouleversé. "

Éric Cabanis

L'explosion de 300 tonnes de nitrate d'ammonium a fait 31 morts et 2 500 blessés.

En novembre 2009, l'ancien directeur de l'usine et le propriétaire d'AZF, une filiale du groupe Total, poursuivis pour homicides et blessures involontaires, ont été relaxés. Un procès en appel doit avoir lieu en 2011. Le site de l'ancienne usine accueille désormais un campus dédié à la lutte contre le cancer.

Vainqueurs de Loft Story. Paris.
5 juillet 2001

En avril 2001 commence Loft Story, première émission de télé-réalité en France, qui réunit treize célibataires coupés du monde et filmés en permanence. Ils sont éliminés les uns après les autres par le vote du public. L'émission a un fort retentissement médiatique. Le 5 juillet 2001, Loana et Christophe sortent vainqueurs du Loft.

❝ Tout ce que je déteste : les people, une course à moto et un temps exécrable. J'étais de permanence ce jour-là, donc tout désigné pour aller faire la photo des vainqueurs. Nous sommes partis direction la Plaine-Saint-Denis, où était tournée l'émission : il pleuvait des hallebardes. On a attendu deux heures, en compagnie de 200 à 300 fans surexcités. Je me disais : « Mais pourquoi on est là à attendre la sortie de gens qui n'ont rien fait à part rester trois mois enfermés dans un loft ? » Ensuite s'est engagée une course-poursuite avec la voiture de Loana et Christophe qui allaient fêter leur victoire dans une boîte des Champs-Élysées.
Il y avait cinq motos de photographes, qui se relayaient et tournaient autour de la voiture comme des abeilles tournant autour de la reine… À 120 km/heure, toujours sous la pluie, sur le périphérique. Loana ouvrait la fenêtre pour nous permettre de prendre des photos… ou plutôt des non-photos : prises au flash, avec un côté images volées qui en réalité ne l'étaient pas. Quand j'y repense, une telle accumulation de choses que je n'aimais pas, c'en était drôle… Et ça reste au bout du compte un bon souvenir ! ❞

Olivier Morin

Championnat du monde de sabre.
Nîmes.
28 octobre 2001

Le 28 octobre 2001, à Nîmes, la Française Anne-Lise Touya est devenue championne du monde de sabre en battant l'Italienne Ilaria Bianca, un titre qu'elle a de nouveau conquis quatre années plus tard, à Leipzig.

❝ L'ambiance était assez chaude. Normal : une compétition en France qui voit des Français arriver en finale. ❞

Boris Horvat

**Convoi de moudjahidin.
Tora Bora. Afghanistan.
16 décembre 2001**

Les montagnes de Tora Bora, dans l'est de l'Afghanistan, ont été en décembre 2001 le théâtre d'une vaste opération américaine et de leurs alliés afghans destinée à capturer ou tuer le chef d'Al-Qaïda Oussama Ben Laden et son état-major, en fuite après la chute du régime taliban. La bataille s'est achevée après environ trois semaines de bombardements intensifs des grottes où s'étaient retirés les combattants d'Al-Qaïda. Nombre d'entre eux, dont peut-être Ben Laden, se sont réfugiés dans les zones tribales du Pakistan voisin.

❝ Nous étions à Tora Bora depuis dix jours, réveillés chaque matin par le bruit des bombardements. Ce jour-là, nous étions dans le camp de base lorsque nous avons vu arriver des convois de moudjahidin. Les hommes revenaient de la ligne de front. Ils étaient armés, leurs corps et leurs visages étaient recouverts de poussière. Mais surtout, ils jubilaient, semblaient heureux. Ils ont annoncé qu'ils avaient gagné la bataille contre Al-Qaïda, que la guerre était finie.
Il faut savoir que ce jour marquait également la fin du ramadan, c'était l'Aïd-el-Fitr.
Je manquais de recul à ce moment-là, mais je pense qu'ils étaient plus excités par la fête de fin du ramadan que par cette guerre soi-disant gagnée.
C'était le 16 décembre. Je suis parti de Tora Bora quatre jours plus tard.❞

Romeo Gacad

2002

L'euro entre dans le porte-monnaie des citoyens européens.
1er janvier 2002

" Le Pont-Neuf aux couleurs de l'euro, ce soir du 31 décembre ? Pourtant, j'ai l'impression que ça fait des années que l'on célèbre de manière kitchissime, avec des grands, des gros ou petits bonshommes bleus, l'arrivée de l'euro.
Après avoir pris mes photos, en rentrant à l'agence, je ne peux m'empêcher de calculer ce qui va devenir concret dans quelques heures. « Donc 1,50 euro c'est 10 francs, 15 euros 100 balles… » "

Joël Saget

L'euro, en usage depuis 1999, est mis en circulation le 1er janvier 2002 sous sa forme fiduciaire.
L'euro est la deuxième monnaie au monde pour les transactions, derrière le dollar américain, et depuis décembre 2006 la première monnaie pour la quantité de billets en circulation.

**Adieux d'Yves Saint Laurent.
Centre Georges-Pompidou, Paris.
22 janvier 2002**

" « Ma plus belle histoire d'amour… c'est vous. » Lorsque Catherine Deneuve a fredonné la chanson de Barbara, l'émotion nous a tous saisis. Il y a eu trente secondes de silence total, pendant qu'Yves Saint Laurent s'avançait vers son actrice fétiche. Même les photographes s'étaient interrompus. Jamais nous n'avions assisté à une telle ovation silencieuse. Catherine Deneuve a fondu en larmes, le couturier chancelait littéralement d'émotion, à tel point que les mannequins derrière lui sont venues le soutenir. Les applaudissements ont alors explosé.

C'était le 22 janvier 2002. Yves Saint Laurent faisait ses adieux à la haute couture.

Quelque 2 000 personnes triées sur le volet avaient été conviées au centre Georges-Pompidou à Paris pour assister à la rétrospective de quarante ans de collections. Robe Mondrian, tailleurs-pantalons, sahariennes, fourreaux… toutes les créations d'YSL étaient déclinées, jusqu'à l'apothéose finale et l'apparition d'une quarantaine de mannequins toutes vêtues du célèbre smoking, la pièce fétiche du couturier qui a « libéré les femmes ». C'est l'un des plus beaux défilés que j'aie vus… Je n'ai jamais pu rencontrer Yves Saint Laurent, je le regrette. "

Jean-Pierre Muller

Le couturier a demandé la photo en souvenir.
YSL est mort le 1er juin 2008 à l'âge de 71 ans.

Dernier concert de Michael Jackson.
New York.
24 avril 2002

À l'Apollo Theater de Harlem (New York), un concert se déroule au profit du Comité national démocrate, en vue des élections législatives de l'automne. Les photographes sont regroupés au fond de la salle.

Au cours de la soirée, l'ex-président Bill Clinton prend le micro et annonce « l'un des artistes les plus remarquables de l'histoire américaine, le roi de la pop, Michael Jackson ».

" La salle est entrée en transe. Les gens se sont levés, hurlant, trépignant, si bien que je ne voyais plus la scène. J'ai réussi à me jucher sur une chaise, mais la scène était alors plongée dans le noir, la fumée, les détonations. Michael entamait « Dangerous ». Le délire.

Dans sa deuxième chanson, « Black or White », on voit deux hommes, représentant un Palestinien et un Israélien, se rapprocher pour faire la paix. Michael aimait les messages politiques. Il aimait à penser que le monde pouvait être meilleur.

Là encore, c'était une atmosphère étrange, mais c'était aussi une de ses particularités. D'être toujours « sur le bord », « à la limite », comme au bord du précipice.

Soudain, il a bondi. Et c'est là que mon objectif l'a saisi.

C'était un formidable concentré d'énergie. Une grâce, une fougue et une maîtrise, comme je ne lui en avais jamais vues auparavant. Ce spectacle à l'Apollo Theater reste à jamais gravé dans ma mémoire.

J'ai revu Michael Jackson à son procès. Ce n'était plus le même. Quelle différence entre l'homme au visage abîmé, flottant dans son pyjama, et cette bombe de l'Apollo !

Mais c'est de cette bombe que l'on garde l'image. La photo a été projetée en toile de fond lors de la cérémonie d'adieu à Michael, le 7 juillet 2009, deux semaines après sa mort.

Plus tard, quand j'ai vu le film de la dernière répétition de « This Is It » qu'il devait donner à Londres, j'ai réalisé l'étendue du désastre. On n'ose imaginer le succès qu'il aurait remporté s'il était toujours en vie.

Pour moi, il restera deux dates dans l'histoire de Michael Jackson : ce funeste 25 juin 2009 et ce prodigieux 24 avril 2002 à l'Apollo. "

Tim Clary

**Audrey Tautou à la cérémonie
des Césars.
Paris.
27 mars 2002**

La 27ᵉ cérémonie des Césars, couronnant le cinéma français, se tenait au théâtre du Châtelet. « Une cérémonie
comme tant d'autres », pour Jean-Loup Gautreau, sanglé
dans son costume cravate au milieu de l'assistance, télé-
objectifs à l'affût. Sauf que…

❝ Soudain, j'aperçois derrière un pilier, pen-
chée vers la scène, la comédienne Audrey Tautou.
Elle incarnait le personnage principal du *Fabuleux
Destin d'Amélie Poulain*, qui devait remporter le
César du meilleur film. Elle semblait toute menue,
très jeune et romantique dans sa robe blanche,
ses cheveux relevés sur la nuque. La grâce et la
pureté mêmes.
Je tourne mon appareil vers elle et prends deux
photos discrètement. La lumière était très faible,
mais très belle, un peu comme dans un film de
Luchino Visconti. J'ai pensé au *Guépard*, à la fraî-
cheur de ces jeunes filles tout droit sorties d'une
galerie de peinture du xIxᵉ siècle.
Audrey Tautou, avec son profil d'enfant, ses joues
rosées, cette robe immaculée, était tout simple-
ment l'une de ces jeunes filles en fleurs, décrites
par Marcel Proust dans *À la recherche du temps
perdu*… Une apparition. ❞

Jean-Loup Gautreau

**Lionel Jospin. Résultats du 1ᵉʳ tour
de l'élection présidentielle.
QG du PS, Paris.
21 avril 2002**

La présence de Jean-Marie Le Pen au deuxième tour crée un choc en France et les partis traditionnels appellent à faire barrage au candidat d'extrême droite. Le 5 mai 2002, Jacques Chirac est réélu avec plus de 82 % des voix.

❝ Brouhaha, chaleur, cohue, tension… Ambiance caractéristique d'une soirée électorale. Je suis arrivé assez tôt au QG parisien de campagne socialiste, pour saisir des réactions de militants, de personnalités. La tension est palpable. Ce 21 avril 2002 tourne au cauchemar pour les socialistes : Lionel Jospin est éliminé dès le premier tour, c'est le candidat d'extrême droite Jean-Marie Le Pen qui affrontera le président sortant Jacques Chirac.

Jospin arrive peu avant 22 h 30 pour sa première déclaration après l'annonce des résultats. Les photographes sont entassés sur un podium, à quelques mètres.

Je photographie. J'écoute ce qu'il dit, mais je suis tellement concentré sur mes photos que je n'entends pas. « J'assume pleinement la responsabilité de cet échec, et j'en tire les conclusions en me retirant de la vie politique après la fin de l'élection présidentielle. »

Ce n'est qu'une ou deux minutes après que je réalise ce qu'il vient de dire. Je comprends qu'il baisse les bras. Dans la salle, c'est la catastrophe. Cette photo, je me souviens qu'elle a failli ne pas voir le jour, d'autres de la série avaient été choisies. J'ai râlé un peu, elle a été repêchée.

Je trouve qu'elle raconte bien le désarroi et l'abandon. ❞

Jack Guez

**Conseil des ministres
des Affaires étrangères de l'UE.
Caceres. Espagne.
8 février 2002**

" L'intérêt principal de cette réunion était la présence du président du Conseil italien Silvio Berlusconi... qui venait de s'attribuer le porte-feuille des Affaires étrangères.
Sur l'agenda des ministres, en marge du sommet, était prévue une photo de famille avec le conseil municipal de Caceres. Pas de quoi mobiliser l'attention des médias, d'autant que seuls quelques ministres, dont le Français Hubert Védrine et le Belge Louis Michel, répondent à l'invitation. Au dernier moment, les médias italiens m'informent de la présence de Berlusconi. L'intérêt d'une telle photo étant surtout local, je laisse les meilleures places à mes confrères espagnols et, complète-ment excentré, je me concentre sur Berlusconi... Alors débute l'inimaginable : jovial, sautillant, quasi enfantin, « il Cavaliere », affichant un sourire nar-quois, se place pour la photo puis, regardant à droite et à gauche en se cachant des caméras, il fait le signe du « cornuto » dans le dos de son hôte, le ministre des Affaires étrangères espagnol Josep Piqué. Je prends trois photos et le groupe se sépare. De retour au centre de presse, j'édite, je légende et j'envoie ma photo. Comment imagi-ner un seul instant que, sur les cinquante photo-graphes et cameramen présents, je sois le seul à avoir saisi la scène ? Dix minutes après, tous mes confrères commencent à venir me voir et deman-dent à regarder LA photo. Les Italiens sont en ébullition, les Espagnols catastrophés... Berlusconi, persuadé qu'il n'a pas pu se faire prendre en flagrant délit d'« inconvenance diplo-matique », envoie Livio son photographe officiel aux nouvelles. Une demi-heure plus tard, ce der-nier me demande la permission de photographier mon écran car Berlusconi ne veut toujours pas croire à l'existence de la photo... Elle est devenue le symbole de l'opposition anti-Berlusconi en Italie et le signe du « cornuto » (les cornes), comme logo, a figuré en première ligne de toutes les mani-festations durant de nombreux mois. Pour preuve, en vacances sur une île en Grèce durant l'été 2003, une amie italienne a tenu à me présenter à son père qui, les yeux embués, m'a embrassé en me disant : « Merci. Grâce à ta photo, l'op-position italienne a relevé la tête ! » "

Gérard Cerles

n grand

ensemble

La France en grand
La France ensemble

Jacques Chirac. Résultats du 2ᵉ tour de l'élection présidentielle. QG de l'UMP, Paris. 5 mai 2002

66 Deux semaines se sont écoulées depuis le choc du 21 avril et l'élimination de Lionel Jospin au premier tour. Meetings et manifestations anti-extrême droite se sont succédé dans toute la France pour clamer la nécessité de contrer le candidat du Front national Jean-Marie Le Pen. Malgré son score de 19 % au 1ᵉʳ tour, Jacques Chirac est certain de remporter le scrutin.

Après avoir voté dans leur fief de Sarran, en Corrèze, entre embrassades et bains de foule, Jacques Chirac et son épouse Bernadette sont de retour au quartier général de campagne de l'UMP (Union pour la majorité présidentielle).

À 20 heures, sans surprise, Jacques Chirac est réélu… avec 82 % des suffrages.

21 h 15, M. Chirac arrive dans la salle du « Tapis rouge », longuement applaudi par les personnes présentes. Son visage est comme séparé en deux. Le sourire affiche une grande satisfaction, mais dans son regard, oblique, passe l'ombre d'une angoisse devant le côté inédit de la situation et peut-être des regrets d'avoir été privé d'un véritable second tour. 99

Patrick Kovarik

Jacques Chirac est réélu avec 82,21 % des voix, score historique pour la Vᵉ République.

Au premier tour, le candidat du Front national avait obtenu 16,86 % des voix, Jacques Chirac 19,88 %. Lionel Jospin, battu avec 16,18 % des voix, avait immédiatement annoncé son retrait de la vie politique.

**Ronaldo. Finale de la Coupe du monde de football.
Yokohama.
30 juin 2002**

Le Brésil, champion du monde pour la cinquième fois de son histoire, vient de battre l'Allemagne 2-0, Ronaldo a marqué les deux buts de la victoire.

" Le match avait été présenté comme un duel Ronaldo/Oliver Kahn, et celui-ci a encaissé deux buts.
Fin du match : les joueurs brésiliens exultaient. Une petite pluie fine tombait. Une mêlée de joueurs s'embrassaient et s'étreignaient. Mais le héros du match, c'était lui.
Il était détaché de la cohue des joueurs, des dirigeants et des photographes. Il avait attrapé le drapeau brésilien, s'en était drapé. Et a eu ce moment d'intense émotion. Ensuite, il a commencé un tour triomphal du stade. Seul, comme s'il était au milieu de nulle part. "
Patrick Hertzog (Ronaldo en larmes)

Le même jour.
Daniel Guarcia (Ronaldo souriant)

Naufrage d'un cargo espagnol.
Afrique du Sud.
13 septembre 2002

" Y aller en hélicoptère ou à pied ? Après avoir longuement parlementé, j'obtenais de pouvoir survoler le *Jolly Rubino*, incliné sur son flanc droit. C'était une vue saisissante, avec cette fumée noire, due à un incendie, qui s'échappait des entrailles du cargo italien. Comme s'échappait sa cargaison vers la réserve naturelle de Saint Lucia.

Je me sentais impuissant face à ce désastre. Impuissant aussi à le rendre en photo, à en donner à voir l'étendue. Alors je décidai de me rendre à pied aussi près que possible de l'épave, depuis le rivage.

Je me souviens encore de l'impression d'isolement que dégageait cette énorme masse abandonnée dans l'océan Indien. Du contraste entre les effluves iodés de la mer et l'odeur écœurante du pétrole qui brûlait. J'entends encore le cri des mouettes et le bruit des vagues. C'est alors qu'est apparu l'hélicoptère des secours, à la recherche de l'équipage. Et le monstre échoué m'est apparu plus monstrueux encore. "

Rajesh Jentilal

Le 13 septembre 2002, un cargo italien, le *Jolly Rubino*, transportant plus d'un million de litres d'huile, 300 000 litres de pétrole, ainsi que des produits chimiques, s'échouait sur la côte est de l'Afrique du Sud. La fuite de sa cargaison menaçait la réserve naturelle de Saint Lucia, l'une des plus belles du continent africain.
Les 22 hommes d'équipage devaient tous être évacués.

Prise d'otages par un commando tchétchène. Moscou. 26 octobre 2002

Ce 23 octobre 2002, ils étaient venus voir une comédie musicale, *Nord-Ost*, au théâtre de la Doubrovka, à Moscou. Ils allaient vivre un cauchemar de trois jours.

D'abord comme otages d'un commando tchétchène armé, d'une quarantaine de personnes, revendiquant le retrait des troupes russes de la Tchétchénie, république rebelle du Caucase russe.

Puis comme victimes d'un « gazage » lors de l'assaut mené par les forces spéciales de sécurité. Sur 800 spectateurs, 130 devaient succomber à cet assaut final.

❝

L'assaut est donné à l'aube, le 26, trois jours après le début de la prise d'otages. Nous sommes derrière les cordons de sécurité, à plusieurs centaines de mètres du théâtre. Nous voyons passer des bus. Derrière les vitres, on aperçoit des otages libérés qui s'embrassent.

Il y a ce jeune, la tête renversée en arrière. Dort-il ? A-t-il perdu connaissance ? Où les amène-t-on ? Pourquoi dans des bus ?

Pour l'instant, nous ignorons tout. Mais, dans les jours qui suivent, on apprendra que 130 otages ont trouvé la mort. La quasi-totalité d'entre eux empoisonnés par le gaz utilisé lors de l'assaut lancé par les services spéciaux russes : une quarantaine d'hommes armés et de femmes voilées portant des ceintures d'explosifs.

Médecins et experts des services spéciaux du monde entier spéculeront sur le gaz utilisé, mais sa composition reste à ce jour un mystère.

Les services spéciaux se féliciteront du succès de l'opération, soulignant que tous les terroristes ont été tués, et « seuls » 130 sur plus de 800 otages. Les rescapés, eux, raconteront que les médecins venus porter secours après l'assaut n'étaient pas informés de la situation et se sont trouvés complètement dépassés. Il n'y avait pas assez de brancards. Les sauveteurs transportaient les otages évanouis sans prendre de précautions.

Dans le chaos général, des morts et des blessés ont été entassés dans les bus, dont les conducteurs ne savaient pas où ils devaient les conduire. Il y a eu aussi des survivants emballés dans des sacs mortuaires et transportés à la morgue. Enfin, certains otages sont morts sur place, parce qu'ils n'ont pas reçu d'antidote à temps. Ou bien parce qu'ils se sont étouffés, allongés sur le dos ou assis, la tête renversée. ❞

Olga Nedbaeva et Alexandre Nemenov

**Cimetière taliban.
Afghanistan.
1er février 2002**

L'opération « Liberté immuable », lancée contre Ben Laden et Al-Qaïda, a débuté en Afghanistan moins d'un mois après les attentats du 11 septembre 2001. Dès le début novembre, sous l'avancée de l'Alliance du Nord vers Kaboul, les talibans avaient commencé à se replier au sud, dans la région de Kandahar, tenue par le mollah Omar. En décembre, les talibans capitulaient et acceptaient de rendre les armes.

❝

Je m'apprêtais à partir pour Kandahar. Mais, après qu'une équipe de l'Agence Reuters avait péri en tentant de traverser la frontière vers l'Afghanistan, ma direction me demanda de ne pas m'y hasarder en voiture. C'est ainsi que je fis partie du deuxième petit contingent de journalistes transportés à Kaboul par un vol des Nations unies.
La capitale afghane, qui avait été le théâtre de combats pendant des décennies, offrait aux regards les traces de son martyre. Maisons en ruine, impacts de balles sur d'innombrables édifices, chars soviétiques abandonnés dans les rues. Chacun tentait de vivre comme il pouvait, les adultes en recherchant un petit travail, les enfants en faisant la manche.
Tout ce qui avait trait aux talibans avait disparu, et j'étais bien en peine d'alimenter un reportage qui leur fût lié.
Jusqu'à ce que mon chauffeur évoque un certain cimetière.
Je me souviens encore de ce 1er février 2002. C'était dans les environs de Kaboul et il neigeait. Au détour d'un chemin, je vis des stèles en pierre dressées. Elles portaient des chiffres, grossièrement peints en rouge. J'en dénombrai environ 80. C'étaient les tombes de talibans morts au combat sans qu'on ait pu les identifier. La Croix-Rouge avait érigé ce cimetière.
L'endroit semblait désert. Mais soudain apparut un homme qui se tenait là immobile, dans le froid glacial. Sa silhouette, enveloppée dans un châle, se confondait avec celle d'une stèle voisine. Tel un homme de pierre. ❞

Jewel Samad

Offensive contre un fief rebelle.
Bouaké. Côte d'Ivoire.
6 octobre 2002

" Le 6 octobre 2002, quelques semaines après la tentative de coup d'État contre le régime du président Laurent Gbagbo, les forces loyalistes lancent une vaste offensive contre le fief rebelle de Bouaké, la deuxième ville de Côte d'Ivoire.

Une patrouille de rebelles avait capturé un soldat gouvernemental à l'entrée de la ville. Nous étions cinq ou six journalistes. En arrivant à Bouaké, nous voyons ce pauvre type en train de se faire interroger. C'était assez violent, les rebelles le frappaient. Nous avons commencé à photographier et à filmer, c'est alors qu'ils se sont aperçus de notre présence. L'un d'eux a crié : « Puisqu'il s'est comporté comme un mouton, on va le tuer comme un mouton » et a sorti son arme.

J'ai fait trois photos. Puis j'ai dit : « Il faut qu'on parte, sinon ils vont le "tuer-cadeau", pour nous faire plaisir. » Nous avons filé. Sinon ils l'auraient tué.

En tout, la scène a duré trois minutes.

Le lendemain, nous sommes repassés sur les lieux. Il y avait du sang. Mais je n'ai jamais su s'il avait été exécuté ou pas.

C'est une photo violente, mais j'ai photographié des choses bien pires au Liberia. En fait, ma première réaction lorsque je l'ai vue, a été la déception. Dans mon viseur, au moment de déclencher, j'avais les deux yeux du type. De retour au bureau, j'ai découvert que le rebelle du premier plan avait mis son bras devant. J'ai pensé qu'il m'avait gâché ma photo et je ne l'ai pas sélectionnée. C'est un collègue qui m'a dit que je tenais une image qui allait faire le tour du monde. "

Georges Gobet

Georges Gobet n'a jamais su si l'homme au regard fou de terreur avait été exécuté.

Trois ou quatre mois plus tard, un homme est venu trouver Georges Gobet à Abidjan, affirmant être le rebelle au pistolet de la photo, et réclamant de l'argent (« Tu t'es fait beaucoup de fric avec cette image, grâce à moi »).

Des mois plus tard, un autre se présentera au bureau de l'AFP en Côte d'Ivoire, clamant être l'homme au marcel blanc et au revolver pointé sur la tête.

Le gouvernement ivoirien a beaucoup utilisé la photo pour sa propagande contre les rebelles.

Camp de détention provisoire X-Ray.
Guantanamo. Cuba.
17 janvier 2002

❝ C'était moins d'une semaine après l'arrivée des premiers « combattants illégaux » liés à Al-Qaïda et aux talibans, envoyés là soit parce qu'ils étaient soupçonnés d'être liés aux événements du 11 septembre 2001, soit parce qu'ils avaient été arrêtés lors d'opérations militaires menées en Afghanistan, à la suite de ces attentats terroristes. Le camp X-Ray avait été construit en 1984 pour enfermer les ouvriers de la base auteurs de délits. Mais sa structure avait été étendue à la hâte à la fin de l'année 2001, en prévision du transfert des combattants afghans ou moyen-orientaux.

Son accès était extrêmement restreint et nous avions dû nous plier à un certain nombre de consignes dictées par l'armée américaine.
Il ne fallait évidemment pas qu'on puisse identifier un détenu à partir d'une photo. Les quelques reporters présents voulaient prendre des images des avions militaires transportant des dizaines de prisonniers sur la base. Mais même ce cliché nous était interdit.
L'endroit était sinistre.
Je me souviens que les prisonniers arrivaient menottés, les yeux bandés. Ils étaient complètement désorientés à leur descente d'avion, en attendant sur le tarmac d'embarquer dans les bus qui devaient les emmener à X-Ray. ❞

Roberto Schmidt

Le camp X-Ray, base navale américaine louée depuis un siècle à Cuba, a été fermé en avril 2002, trois mois après avoir accueilli quelque 300 prisonniers, transférés par la suite au camp Delta.
Le président Barack Obama a officiellement ordonné, en janvier 2009, la fermeture prochaine du camp de détention de Guantanamo.

**Un jour à Ramallah.
Cisjordanie.
13 février 2002**

L'armée israélienne encerclait la ville de Ramallah où se trouvait la Mouqataa, le QG de Yasser Arafat. Le leader palestinien y était confiné *de facto* depuis plus de deux mois.

Des combats opposaient régulièrement les combattants palestiniens à l'armée israélienne. Mais la vie continuait aussi son cours normal.

❝ Je m'étais rendu à Ramallah dans le 4 x 4 blindé de l'AFP, en compagnie d'un photographe palestinien. Le brouillard couvrait les routes qui mènent à cette ville située à près de 800 mètres d'altitude. Soudain la terre se met à trembler, un bruit de métal transperce le silence de l'aube. Une masse monstrueuse apparaît dans mon rétroviseur : un char de l'armée israélienne qui déboule à toute vitesse sur la route sinueuse.

Je fais signe que je me range sur la droite pour le laisser passer. Les routes sont trop étroites. Il accroche mon véhicule. Arrache la serrure de la portière et pointe sa tourelle en direction de mon pare-brise. Mon collègue palestinien se jette sous le tableau de bord en poussant un cri. « Arrête-toi ! Arrête-toi, il va nous tirer dessus ! » Je serre les dents, mes mains sont crispées sur le volant. Je tente de me rassurer. « Ça n'est pas possible, il ne va pas tirer, la voiture est couverte de signes PRESS et TV, il doit s'amuser à nous faire peur. » Quelques instants plus tard nous retrouvons le char, le canon pointé sur des écoliers palestiniens qui se rendent à l'école. La désinvolture des gamins face à ce monstre m'a fait sourire. ❞

Patrick Baz

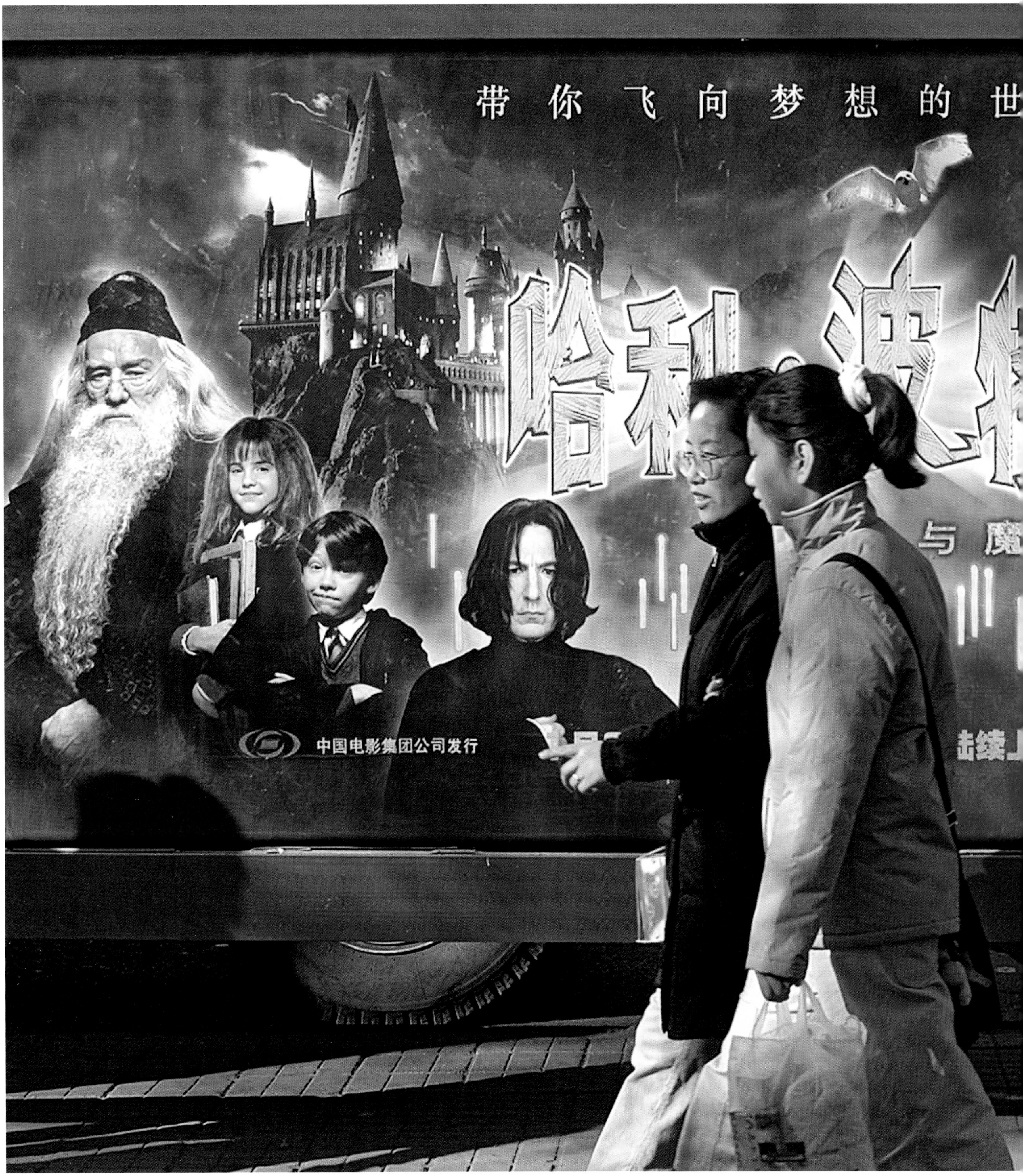
带你飞向梦想的世
哈利·波
与魔
中国电影集团公司发行

**Sortie du film *Harry Potter* en Chine.
Pékin.
29 janvier 2002**

Débutée en 1997 sous la plume de la romancière britannique J.K. Rowling, la saga *Harry Potter*, qui suit l'adolescence d'un sorcier confronté à l'assassin de ses parents, a conquis le monde entier. Traduits en quelque 60 langues, les sept tomes se sont écoulés à plus de 400 millions d'exemplaires à travers la planète. Leurs adaptations au cinéma ont connu le même succès, occupant la première place du box-office à la sortie de chaque nouveau volet.

❝ Nous sommes à la veille de la sortie du film *Harry Potter* dans les salles de cinéma en Chine, le 29 janvier 2002. Juste des gens qui passent devant un panneau publicitaire… Harry Potter est partout. ❞

Frederic Brown

2003

Plan d'invasion de l'Irak.
Camp Shoup. Koweït.
13 mars 2003

Depuis plusieurs mois Washington et Londres acheminent des forces armées au Koweït dans la perspective d'une invasion de l'Irak. La guerre est imminente et les médias du monde entier envoient leurs reporters dans le désert du nord du Koweït.

"L'armée américaine ayant décidé d'intégrer dans ses unités plusieurs centaines de journalistes, je me retrouve début mars 2003 « embedded » dans le 2e bataillon de la 8e unité de Marines américains à Camp Shoup.

Le matin du 13 mars, le major de bataillon invite à photographier une réunion d'officiers qui doivent être informés de leur prochaine mission. Une vingtaine d'hommes sont réunis sous une tente, un officier montre une carte. Je fais quelques images et avant de les transmettre, pour être en conformité avec les règles très strictes que l'on m'a fait signer lors de mon incorporation, je la montre au colonel Royal Mortenson, commandant du bataillon. Il me donne son feu vert.

Deux jours plus tard, le major puis le colonel viennent me voir, livides, et me demandent de leur remontrer les photos prises lors de ce briefing et celle que j'ai envoyée. Ils me demandent d'agrandir l'image sur la carte, ce que je fais en deux clics. Royal Mortenson se prend la tête entre les mains et dit : « Oh, yes ! »

L'état-major américain vient de recevoir un appel du Pentagone qui a vu la photo sur le site du *New York Times*. Agrandie, la carte montre la frontière entre les deux pays et un tracé (« the bridge »), le couloir par où passera l'armada américaine et la première ville à traverser.

Les plans d'attaque américains ont été diffusés dans les rédactions du monde entier !

Dans l'heure qui suit, une dizaine d'enquêteurs, dont des agents de la CIA, arrivent en trombe dans le camp.

Commence un interrogatoire précis et détaillé. J'essaie de détendre l'atmosphère avec une blague, mais mes interlocuteurs n'ont pas du tout envie de plaisanter. La France, qui a refusé de participer à l'offensive contre l'Irak, n'est pas bien vue. J'ai l'impression d'être pris pour un espion.

Royal Mortenson confirme aux enquêteurs qu'il m'avait donné le feu vert pour transmettre la photo.

On me dit de tuer toutes les photos en question, et le Pentagone demande à l'AFP de les retirer de sa banque d'images, ce qui sera fait. L'enquête de l'armée classera cette affaire sans suite."

Éric Feferberg

**Début de l'offensive américaine.
Nassiriyah. Irak.
26 mars 2003**

Les plans d'invasion américains n'ont pas été modifiés
après la parution de la photo précédente. Celle-ci a
été remise en ligne sur la plate-forme de l'AFP à la fin
de l'offensive.

" L'invasion de l'Irak a maintenant commencé
il y a six jours. Nous sommes à Nassiriyah, le
26 mars 2003. Quelque 100 000 hommes et des
milliers de véhicules blindés de la coalition emme-
née par les Américains ont franchi la frontière
koweïto-irakienne.
Pendant trois jours, les Marines ont piétiné aux
portes de Nassiriyah, verrou stratégique situé à
350 kilomètres au sud de Bagdad. Embourbés…
Comme sur cette photo où ils se réveillent dans
un champ de boue, après le passage d'une tempête de sable nocturne. De violents combats mar-
queront la traversée de Nassiriyah, l'un des
derniers obstacles sur la route de Bagdad, où les
Américains entreront le 9 avril. "

Éric Feferberg

**Palais de Saddam Hussein.
Bagdad.
7 avril 2003**

Largement pillés dans les jours qui ont suivi la chute de Bagdad, les palais de Saddam ont ensuite servi de bases aux militaires américains. Aujourd'hui, certains sont encore aux mains des Américains, d'autres ont été rendus aux Irakiens et parfois transformés en hôtels, comme à Hilla (sud de Bagdad).

❝ Il m'a fallu deux visites pour trouver cette chambre. J'étais « embedded » (embarqué avec l'armée) avec la 1re brigade de combat de la 3e division d'infanterie américaine, qui avait pris l'aéroport de Bagdad quelques jours auparavant. Le 7 avril 2003 nous sommes partis en Humvee. Destination : un palais de Saddam, dans la zone de l'aéroport.

C'était, nous avait-on dit, une « petite » résidence, simple et modeste, du moins à l'aune des autres propriétés du raïs. Mais en fait… c'était énorme. Le palais, devant lequel stationnait un char américain, était entouré d'un lac immense. À l'intérieur, il y avait des dizaines de pièces, de couloirs, un vrai labyrinthe. Et des soldats, partout, qui entraient, sortaient, visitaient.

Certains endroits avaient été endommagés par les tirs et des débris jonchaient le sol, mais globalement le palais était en bon état.

On m'avait parlé de la « chambre de Saddam Hussein », et j'ai commencé à la chercher partout. Je me suis perdu dans des salons, dans des toilettes, des salles de bains avec des lavabos en or… Mais pas de chambre. J'étais très déçu. Une semaine après, une deuxième occasion s'est présentée. J'ai foncé, muni des recommandations des soldats : « Tu prends à gauche après l'entrée, troisième corridor, dixième porte… » Et je suis arrivé dans une chambre peinte en gris. J'ai pris quelques photos, continué à me balader, et je suis tombé sur cette chambre rose.

– Celle de Saddam ?

– Je ne l'ai jamais su. Mais elle était rose, c'était peut-être la chambre d'une femme, d'une de ses maîtresses, qui sait. Elle paraissait encore habitée, avec le lit défait, le rideau impeccablement tiré près de la fenêtre… C'était étonnant.

Les militaires américains entraient et sortaient, dans un ballet incessant. Ils se photographiaient les uns les autres, certains essayaient le lit… Oui… peut-être que le soldat sur la photo était en train de rire. Tous souriaient, tous étaient contents. C'était un vrai moment de légèreté après les horreurs de la guerre. ❞

Romeo Gacad

Femme atteinte du sida.
Mozambique.
4 novembre 2003

« J'étais au Mozambique, ce 4 novembre 2003, à l'occasion d'un voyage de presse organisé par la Croix-Rouge pour montrer que le pays était l'un des plus touchés par le paludisme. Je marchais à proximité d'un centre de soins quand, du coin de l'œil, j'ai aperçu cette femme sous son lit, essayant tant bien que mal de trouver un endroit frais pour échapper aux fortes chaleurs… Elle était atteinte du sida. »

Alexander Joe

L'Afrique subsaharienne rassemble une large majorité de la population mondiale infectée par le virus du sida et continue d'être la région où sont dénombrés le plus de nouveaux cas chaque année. L'ampleur de l'épidémie a fait plus de 14 millions d'orphelins dans cette zone géographique.

Armée rebelle.
Gbone. Côte d'Ivoire.
10 février 2003

Les accords de paix de Marcoussis ont été signés un mois auparavant, mais depuis le coup d'État manqué de septembre 2002 le pays est coupé en deux : le Nord rebelle et le Sud royaliste.

" J'étais parti seul en voiture dans la région de Man, à la frontière avec le Liberia. Je suis tombé sur ce capitaine, Tia Yeye, un ancien soldat de l'armée gouvernementale passé dans les rangs des rebelles. Dans ce village de Gbone, au fin fond de la brousse, il avait levé sa petite armée : une vingtaine de personnes, uniquement des jeunes, beaucoup de femmes, tous habitants de la zone.
Ils avaient un armement hétéroclite : cela allait de la vieille pétoire à un coup à la kalachnikov… ils avaient pris tout ce qui leur tombait sous la main. Ça avait un côté burlesque. Le capitaine Yeye était suivi par cette petite troupe de bras cassés, plutôt sympathiques d'ailleurs. Ils ne savaient pas se battre, c'était évident. Mais lui se prenait très au sérieux : il les faisait s'entraîner dans la poussière, leur apprenait le combat au corps à corps… Même si je pense qu'au fond il ne se faisait pas beaucoup d'illusions sur la valeur de ses combattants.
La photo, tous installés en pyramide sur un de leurs véhicules, a un côté kitsch. Les similigrenades sur la poitrine du capitaine – en fait, des sortes de bombes lacrymo –, le pistolet de la femme au pantalon rouge, leur air sérieux à tous… Je ne suis même pas sûr qu'ils aient un jour participé à un combat. "

Philippe Desmazes

**Monica Bellucci.
Ouverture du 56ᵉ festival de Cannes.
14 mai 2003**

« À Cannes, l'un des événements les plus médiatisés au monde, les mouvements et positions des photographes sont définis au millimètre près et les organisateurs ne plaisantent pas avec le règlement. Il est donc très difficile d'obtenir une photo qui sorte du lot, tous les photographes « shootant » le même sujet au même moment et à partir des mêmes endroits.

Cette photo est « illicite ». Elle a été prise depuis une position « non officielle » située sur la rampe d'éclairage installée en haut de la salle du palais des Festivals.

Ce jour-là, à l'intérieur du palais, j'étais monté sur une des passerelles où sont fixés les projecteurs, pour installer une antenne wifi. À une dizaine de mètres au-dessus de la scène et des festivaliers, je comprends que je tiens un superbe point de vue, loin des positions officielles, et je ne bouge plus.

J'ai cherché mon angle, le plus à la verticale possible mais sans être d'aplomb. J'ai coincé mon objectif entre deux spots. Monica Bellucci était maîtresse de cérémonie cette année-là. Elle venait d'achever son discours d'ouverture et quittait la scène, gracieuse. Il y avait le mouvement et la couleur de la robe, le mouvement du pas, l'élégance... Tous les éléments étaient là. »

François-Xavier Marit

Le Festival utilisera la photo pour sa carte de vœux cette année-là. Depuis, cette position sur les « catwalk » (les passerelles par lesquelles passent les câbles de la rampe d'éclairage) a été autorisée par les organisateurs du Festival, qui ont accepté que l'AFP y installe des boîtiers télécommandés.

Défilé John Galliano.
Paris.
9 mars 2003

" Je couvre les défilés depuis une quinzaine d'années et je n'ai aucun souvenir précis de cette photo. Mais je la trouve attachante, en raison notamment du jeu de comédienne du mannequin. C'est un clin d'œil, ou de bouche plutôt. Une petite mimique douce. Elle est révélatrice du talent de mise en scène de John Galliano, qui transforme ses modèles en comédiens et dont les défilés sont toujours des spectacles. La tenue est jolie sans être spectaculaire, réjouissante, adorable. Pas très folle pour du Galliano. Mais il y a de la tendresse dans cette photo, ce qui est rare dans un défilé de mode. "

Pierre Verdy

**Lance Armstrong évitant Beloki.
Tour de France. Environs de Gap.
14 juillet 2003**

Lance Armstrong signa sa cinquième victoire dans la Grande Boucle en remportant en 2003 l'édition du centenaire du Tour de France.

" La fin d'étape s'annonce comme un soulagement après ces quelques heures à moto sous un soleil de plomb. Avec Guy, le motard, nous décidons de prendre quelques kilomètres d'avance sur la tête de course, avec l'idée de s'arrêter pour faire ce qu'on appelle une « carte postale ».
Dans notre jargon, « la carte postale » c'est une jolie vue avec coureurs et paysage, une image un peu hors course, décalée.
L'arrivée à Gap se situe dans un peu plus de cinq kilomètres, nous roulons au ralenti mais rien ne nous inspire réellement.
Tant pis, je décide de me rabattre sur une vue plus basique. Une route en descente, l'odeur du goudron fondu, des virages… Celui-ci est intéressant, mais nulle part où arrêter la moto. Pas grave, on stoppe au suivant.
Le temps de griller une cigarette, de précadrer le virage au 100/400. Je regarde Guy avec une moue dubitative : pas terrible notre choix.
Les bruits de la course se rapprochent. Je cadre le petit virage. La scène se joue en quelques secondes. L'Espagnol Beloki chute, il est au sol. Juste derrière lui arrive Armstrong telle une fusée, une tache jaune dans mon viseur. Il évite Beloki et continue sa course folle à travers champ. Je suis son numéro d'équilibriste, déclenchant vue par vue. J'hallucine ! Il ne tombe pas.
Au bout du champ, arrêté par une barrière, il descend de son vélo, passe par-dessus la clôture et reprend la course.
Je tourne la tête vers un Guy aussi surpris que moi. L'air grave il me demande : « Tu l'as ? »
Les jours suivants, je sentais toujours une certaine déception chez mes confrères en répondant à leurs interrogations… Non, je n'avais rien anticipé ni imaginé, ni la descente risquée, ni le goudron fondu. Je cherchais juste une carte postale. "

Joël Saget

Canicule.
Lyon.
19 août 2003

Une vague de chaleur record s'abat sur la France. En l'espace de deux semaines, la canicule fait près de 15 000 morts, principalement des personnes âgées et des femmes. Sur le terrain, les services d'urgence, déjà confrontés à des problèmes structurels en été (fermeture de lits, manque de personnel), sont bondés. Faute de lits, les personnes âgées se retrouvent sur des brancards dans les couloirs. Les pompes funèbres saturent et en région parisienne les corps sont entreposés dans des camions réfrigérés ou les hangars des halles de Rungis.

« En arrivant dans la chambre froide ce 19 août 2003, je suis resté concentré sur cette image d'un homme qui allait et venait pour ranger les corps.
Je n'ai pris que cinq photos, ne voulant pas rester trop longtemps, par respect et par pudeur…
Devant ce drame national, le centre funéraire de Lyon avait accepté de me laisser entrer. »

Fred Dufour

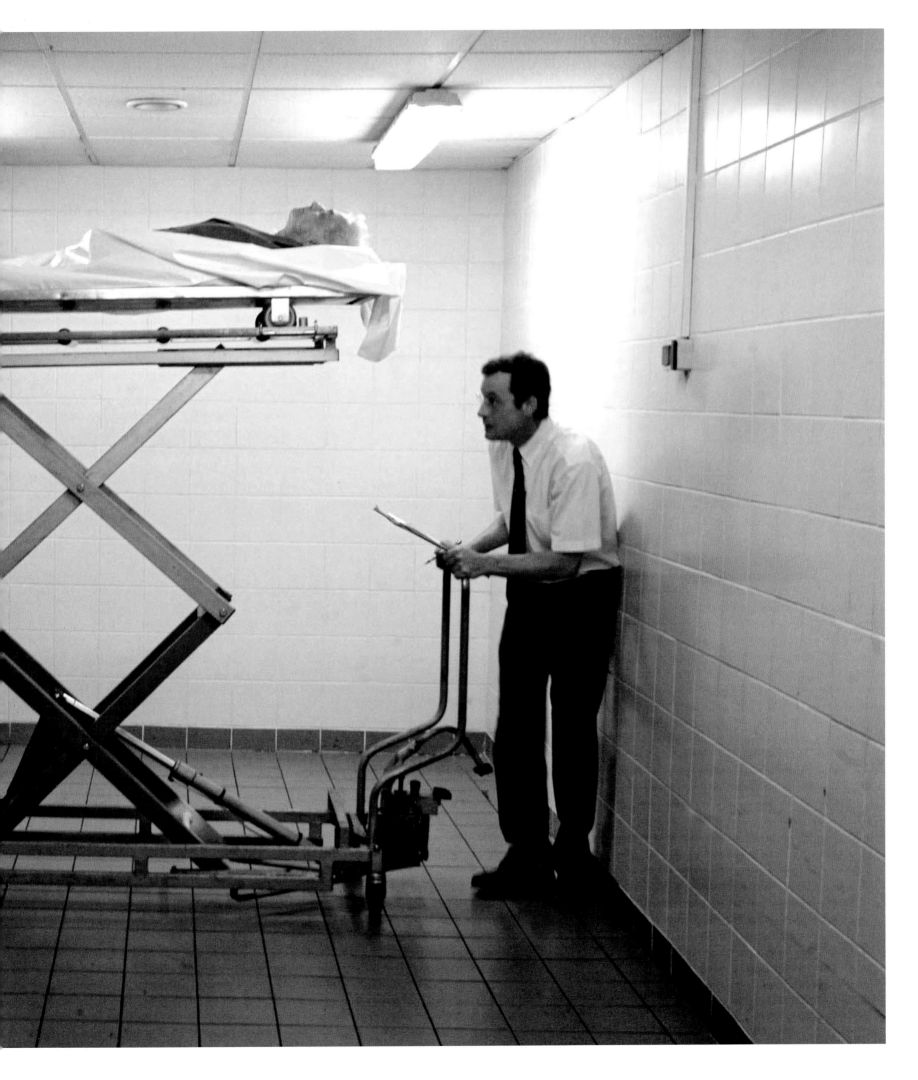

Décollage de *Columbia*.
Floride.
16 janvier 2003

La navette *Columbia*, avec sept personnes à bord, a décollé, apparemment sans encombre le 16 janvier 2003 de Floride. C'est juste avant son atterrissage, après une mission orbitale de 16 jours, qu'elle s'est désintégrée à 20 000 mètres d'altitude au-dessus du Texas.
Selon les conclusions de l'enquête, l'accident a résulté d'une fissure dans la protection thermique de l'aile gauche, qui avait été provoquée par le détachement d'un morceau de mousse isolante peu après le lancement.

" Le ciel était parfaitement dégagé, d'un bleu presque irréel. Et pour la première fois, j'ai essayé ce cadrage plus vertical. D'habitude, je me contente de la navette elle-même, pour qu'on distingue clairement sa forme. Ce jour-là, j'ai continué à suivre sa trajectoire. Depuis l'explosion de *Challenger* (en 1986), à laquelle j'ai assisté, j'ai gardé cette habitude de fixer longtemps la navette au décollage.
Je ne pense pas à *Challenger* systématiquement, mais ça reste quand même présent. Je ne ressemblerai jamais à ces personnes qui suivent les courses automobiles en attendant l'accident, mais j'ai pris conscience que cela pouvait arriver.
Au décollage de *Columbia*, avec ce contraste du bleu profond du ciel, la trace des nuages se dessine de façon très précise. L'illusion que la navette retombe tient à la perspective : en fait elle s'incline pour épouser la courbe de la Terre.
Quelques semaines plus tard, j'ai attendu le retour de *Columbia*, sur le site d'atterrissage. Pendant longtemps, la Nasa n'autorisait aucun photographe de presse sur le site, mais ils ont fini par permettre à un photographe d'agence de couvrir l'événement en pool (une photo prise pour tous et distribuée à tous). Ce jour-là, j'étais de pool.
On a commencé à s'inquiéter quand on n'a pas entendu le double bang supersonique attendu environ 4 minutes avant l'atterrissage. La rumeur que quelque chose clochait a commencé à se répandre parmi les équipes télé. Et le décompte a continué, impitoyable, jusqu'à zéro. Toujours pas de navette. À cet instant, elle aurait dû toucher terre. C'était le cas, mais pas au bon endroit, et en mille morceaux.
Ce n'est qu'après que j'ai repensé au décollage. Le soir même, j'étais allé boire une bière dans un bar du coin, où circulait une vidéo pas très nette montrant un élément se détachant de la navette. J'ai compris bien plus tard qu'il s'agissait du morceau de mousse à l'origine de l'accident. **"**

Bruce Weaver

La pandémie de sras.
Chine.
21 mai 2003

Un vol quasi vide entre Hong Kong et Pékin. Depuis l'apparition de la pneumonie atypique (sras), la compagnie hongkongaise Dragonair avait perdu, en deux mois, les trois quarts de sa clientèle.
La pandémie a fait plus de 800 morts dans le monde, dont près de 350 en Chine.

❝ En Chine, les vols intérieurs sont toujours pleins à craquer. C'est toujours une cohue de gens et de valises partout, en raison du fort développement économique. Je revenais de Hong Kong où j'avais couvert la crise du sras et j'ai pris ce vol presque vide pour Pékin.
À Hong Kong, tout le monde avait peur d'attraper le sras. C'était proche de l'hystérie, les gens portaient des masques et vous évitaient dans la rue si vous n'en portiez pas. Ils évitaient aussi de prendre l'avion parce que l'espace confiné multipliait les risques. Mais s'ils devaient impérativement voyager, ils prenaient leurs précautions.
Comme cet homme, typique des gens à cette époque, très inquiet à l'idée de contracter le virus. ❞

Peter Parks

Inondations en Camargue.
4 décembre 2003

Au début du mois de décembre 2003, des pluies impor-
tantes ont provoqué de graves inondations dans le centre
et le sud de la France. La rupture des digues du Rhône
situées en amont de la commune d'Arles a libéré plusieurs
millions de mètres cubes d'eau qui ont envahi une zone
étendue. Les intempéries ont fait au moins six morts.

" Je me suis inquiété par la suite du sort des
chevaux. En fait, ils n'ont jamais été vraiment en
péril, il ne devait pas y avoir plus d'une trentaine
de centimètres d'eau autour d'eux. Le côté sub-
jectif de l'image. Il pleuvait depuis une semaine,
le Rhône était en crue, toute la région était sous
l'eau.
Ce jour-là, j'avais pu monter dans un hélicoptère
de la Protection civile pour survoler les lieux sinis-
trés. En arrivant dans cette zone près d'Agde, j'ai
aperçu de loin ce petit mazet sur un lopin de terre
en forme de cœur, et le cheval blanc.
Le pilote était d'accord, nous nous sommes appro-
chés. J'ai vu le deuxième cheval. Nous sommes
passés à environ une trentaine de mètres, je crois
que le bruit de l'hélicoptère les a effrayés et ils se
sont agités. Cette photo m'évoque l'idée du refuge.
La maison est jolie, les couleurs sont douces,
on pourrait s'y sentir protégé... Ou celle du
radeau. "

Gérard Julien

**Manifestations.
Colombie.
4 juillet 2003**

❝ Je ne connaissais pas Aguablanca, dans la région de Cali. C'est une zone sinistrée du sud-ouest de la Colombie. Violence, pauvreté, misère sociale. J'avais appris par des journalistes locaux que trois familles dans cette ville avaient entamé un mouvement pour réclamer un toit décent et de quoi assurer leurs besoins essentiels : afin d'être vus et entendus par les autorités, ils s'enterraient jusqu'au cou dans le sol.

Quand je suis arrivé à Aguablanca, cette vision m'a bouleversé. Les trois désespérés m'ont expliqué qu'ils s'enterraient parce que de toute façon ils étaient morts vivants. Et qu'ils ne bougeraient pas tant qu'ils n'auraient pas une réponse de la mairie.
Parmi les ensevelis, il y avait une grand-mère d'au moins 65 ans, soutenue par un petit garçon, son petit-fils.
Je les regardais tous les deux et j'attendais. Je pensais à cette épreuve que s'imposait la vieille femme.
Il faisait chaud, la terre était sèche et poussiéreuse, elle était ensevelie en position debout.
À un moment, l'enfant s'est approché et lui a caressé la tête, pour l'empêcher de défaillir.
C'est l'une des images les plus tristes que j'aie jamais réalisées. ❞

Mauricio Duenas

**Hugo Chávez. Venezuela.
Décembre 2003**

Élu le 6 décembre 1998, réélu en 2000, remis en selle après la tentative de coup d'État de Pedro Carmona, Hugo Chávez, qui a inscrit le socialisme dans la constitution du Venezuela, est accusé par ses détracteurs de vouloir organiser une « présidence à vie ».

❝ Plus grand que nature : tel m'est apparu Hugo Chávez, alors qu'il haranguait la foule lors de l'anniversaire de son accession au pouvoir. Je me préparais à partir, lorsqu'en me faufilant derrière l'estrade, j'ai été frappé par cette image : Hugo Chávez, de dos, le poing levé, en ombre chinoise sur son gigantesque portrait. Comme un rappel de son omniprésence. De son omnipotence. ❞

Juan Barreto

Ligne de démarcation. Corée.
25 avril 2003

Au cœur de la « zone militaire démilitarisée » (250 km de long, 4 km de large) qui sépare la Corée du Nord de la Corée du Sud, Panmunjom, le village-frontière, dit « de la Trêve », où fut signé en 1953 l'armistice.

❝ D'imposante, la route de la Liberté qui relie Séoul à Panmunjom devient sinistre à l'approche de la zone-tampon. En 62 kilomètres, les habitations ont progressivement disparu. Les douze voies, conçues pour une éventuelle attaque terrestre, ne sont plus bordées que de barbelés, de postes de défense. De gigantesques ponts de béton enjambent l'autoroute, prêts à être dynamités pour bloquer la circulation. Au check-point sud, point de passage en zone militaire démilitarisée, viennent les formalités : portique de sécurité, vérification d'accréditations, départ encadré en bus pour Panmunjom.
Le plus impressionnant, c'est le silence. Dans cette zone protégée, séparée en deux corridors de 2 kilomètres de profondeur, soldats nord-coréens d'un côté, sud-coréens et américains de l'autre, s'observent en permanence.
À la descente du bus, briefing des militaires américains sur la conduite à tenir, les postures à éviter. On pénètre alors dans un immense hall d'une capacité de 2 000 personnes, mais nous ne sommes qu'une douzaine et les murs nous renvoient l'écho de nos voix. Montée d'un escalier mécanique, ouverture d'une porte. La ligne de démarcation est là. Blanche, nette, infamante.
Trois petits baraquements la traversent, exactement de la même longueur de part et d'autre, où les officiels des deux pays peuvent avoir des discussions face à face, à la même table, mais dont la moitié se trouve au nord et l'autre moitié au sud. Entre les bâtiments, le marquage au sol de la ligne-frontière.
Voilà qu'un soldat nord-coréen apparaît sur le seuil de « son » hall, réplique du grand hall du sud, qui semblait vide jusqu'ici. Il regarde dans notre direction, je le cadre. Il m'observe sans ciller, glisse une main dans sa poche, en retire une paire de jumelles. Nous nous fixons par objectifs interposés. Vingt mètres et deux pays nous séparent. Une autre petite fenêtre s'ouvre sur le côté. Un autre soldat m'observe à travers une lunette beaucoup plus grosse. Immobile. Tout est froid, glacial dans leur regard. Ici, le vide est sidéral. ❞

Emmanuel Dunand

Construction du « mur de séparation ».
Eizariya. Israël.
3 décembre 2003

" L'édification de cette barrière de béton, présentée comme une « clôture de sécurité » par Israël et qualifiée de « mur de l'apartheid » par les Palestiniens, avait été entamée quelques mois plus tôt. Elle avait déjà changé, avec une étonnante rapidité, les paysages urbains et ruraux qui nous étaient familiers. Sachant que telle rue ou tel quartier de Jérusalem-Est allaient bientôt se retrouver de « l'autre côté », nous devions faire vite pour témoigner de cette transformation.

Ce jour-là, j'étais parti tôt pour profiter de la lumière matinale lorsque j'ai aperçu, sur une petite colline, une portion de mur qui tranchait violemment sur le bleu profond du ciel. M'approchant, je vis qu'un rayon de soleil, traversant le mur par une étroite ouverture entre deux hautes dalles de béton, coupait son ombre d'une bande de lumière vive.

J'avais pris quelques photos d'habitants se livrant à leurs activités matinales près du mur, mais elles ne me satisfaisaient pas vraiment. Je décidai alors de passer de l'autre côté de la barrière et de travailler sur une image verticale.

La ligne de fuite du mur, la trouée entre les dalles et la lumière passant à travers formaient une composition parfaite. Mais il manquait un élément essentiel : celui qui ferait toucher du doigt ce que le mur représente dans la vie des milliers de personnes vivant de part et d'autre de cette barrière. J'ai attendu patiemment. Et dans un moment magique et triste à la fois, un petit enfant est passé par l'ouverture dans le mur. "

Pedro Ugarte

2004

Concert d'Henri Salvador.
Palais des Congrès. Paris.
6 février 2004

" C'était après son album *Chambre avec vue*, le disque qui a relancé sa carrière et que j'avais adoré. Henri Salvador, c'est le clown de mon enfance. Ce n'était pas mon idole, mais j'ai aimé ce virage. Il avait une image de chansonnier un peu ringard de la télévision des années 60. Et d'un coup il était passé du comique troupier façon Fernandel au crooner à la voix magnifique.
En général, quand on photographie un chanteur de plus de 80 ans, on pense un peu à sa future disparition. Je savais que c'était l'un de ses derniers concerts, les dernières photos. C'était une grande salle, le public était bigarré, le spectacle avait l'air très bien même si je ne suis pas resté longtemps. C'était dix minutes de concert et ce n'était pas les Rolling Stones ; mais respect pour Salvador et sa voix magique. "

François Guillot

Henri Salvador a 86 ans. Trois ans auparavant, le chanteur populaire a été consacré crooner de l'année 2001 avec une double Victoire de la musique. Il s'éteindra en février 2008, quelques mois seulement après son dernier concert.

Laure Manaudou, Athènes. 15 août 2004

Elle n'avait pas 18 ans, mais venait de remporter trois médailles d'or aux Championnats d'Europe, à Madrid. Allait-elle s'imposer aux Jeux olympiques d'Athènes ?

" Ce fut une consécration. Laure venait de remporter la médaille d'or du 400 mètres nage libre. La première médaille d'or olympique française dans une épreuve de natation depuis Jean Boiteux, à Helsinki en 1952.

C'étaient mes premiers JO. Autant dire que j'étais dans un état de stress maximal. Sur le podium, Laure Manaudou, les paupières closes, joignait les mains dans une pose quasi religieuse. On aurait dit une orante, coiffée de cinq auréoles. Elle est remontée encore à deux reprises sur le podium. "

Pierre-Philippe Marcou

Désignation de l'Afrique du Sud pour la Coupe du monde de football. Zurich. 15 mai 2004

Au siège de la FIFA (Fédération internationale de football) à Zurich, annonce que l'Afrique du Sud a remporté l'organisation de la Coupe du monde de football 2010. Ce pays a été désigné au premier tour de scrutin face au Maroc et à l'Égypte. C'est la première fois qu'une Coupe du monde sera organisée en Afrique.

« Je me suis senti comme un jeune homme de 15 ans », a raconté par la suite Nelson Mandela.

" Nous avions attendu des heures, et le moment était enfin arrivé, tout le monde était installé dans la salle. Sepp Blatter a annoncé le résultat et ça a été l'explosion, des hurlements de joie, la bousculade. Je n'étais pas positionné au bon endroit, je me suis rué par-dessus les tables pour m'approcher.

Nelson Mandela, un mythe vivant, vieux monsieur tout frêle qui avait du mal à marcher, était en larmes. Il était clair qu'il était en train de vivre quelque chose de très fort. Il a levé la coupe, et dans cette scène il y avait tout : le sport, la politique, cet homme à la vie exceptionnelle. Ça reste un très beau souvenir. Émouvant. "

Franck Fife

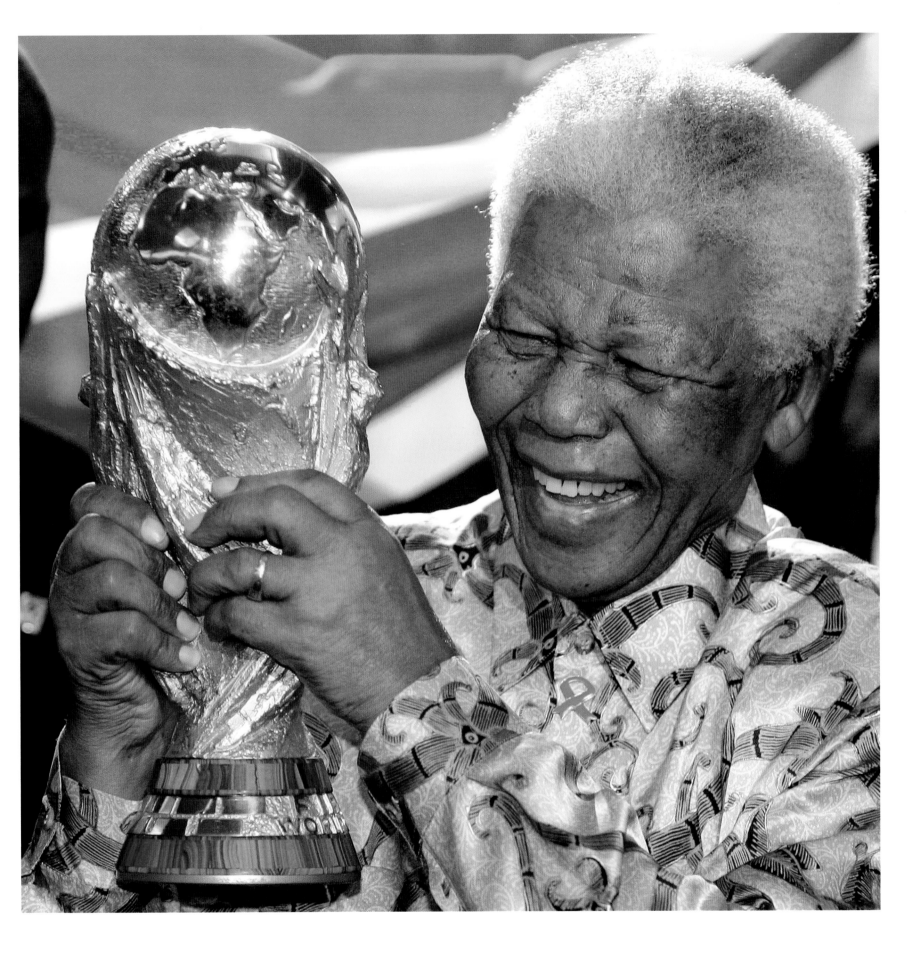

Euro 2004. Lisbonne.
21 juin 2004

Quelques minutes avant le coup d'envoi du match entre l'Angleterre et la Croatie, deux équipes évoluant dans le groupe B de l'Euro 2004. L'Angleterre bat la Croatie 4 à 2. Trois jours plus tard, elle est éliminée en quart de finale aux tirs au but par le Portugal.

" C'était un match très important, l'Angleterre jouait son billet pour les quarts de finale. L'épouse de David Beckham, Victoria, et les enfants étaient dans les tribunes. Je commençais à me sentir un peu nerveux… J'ai filé aux toilettes. Lorsque j'ai eu fini, je me suis retourné, et j'ai vu tous ces types en maillot Beckham en train de faire exactement la même chose que moi.
Je suis allé dans une cabine et j'ai pris la photo planqué derrière la porte, terrifié à l'idée que quelqu'un me surprenne en train de photographier des hommes dans les toilettes…
Je crois que c'étaient des supporters belges ou néerlandais. Ils ne m'ont pas vu. Cela aurait été comique si j'avais dû essayer de me justifier en néerlandais.
Les années suivantes, j'ai remarqué que des photographes venaient dans les toilettes avec leur matériel… Je prends ça comme un compliment ! "

Adrian Dennis

Images de la prison d'Abou Ghraib.
Téhéran.
1er juin 2004

Les soldats américains avaient pris ces photos pour se faire des souvenirs. Elles ont fini accrochées sur les murs du monde entier, depuis le Centre international de la photographie à New York jusqu'à l'autoroute Sadr de Téhéran.

" J'ai pensé à ce qu'avait écrit Susan Sontag dans le *New York Times* à propos des photos d'Abou Ghraib : « Les images ne disparaîtront jamais. C'est la nature du monde numérique dans lequel nous vivons. »

Nous étions le 1er juin 2004 à Téhéran. Le scandale d'Abou Ghraib avait éclaté un mois avant. Le monde entier connaissait désormais le nom de cette prison à une vingtaine de kilomètres à l'ouest de Bagdad, après la fuite et la publication dans la presse des photos représentant des détenus irakiens torturés par leurs geôliers américains.

Je revenais d'une manifestation antiaméricaine à Téhéran et un collègue m'avait alerté sur ces peintures accrochées sur les murs bordant la principale autoroute traversant la capitale iranienne. Elles reproduisaient deux des photos les plus marquantes d'Abou Ghraib.

Je me suis placé en face, sur une position en hauteur, et j'ai attendu. J'avais en tête l'idée de prendre une femme revêtue du tchador, pour faire écho à la tenue du prisonnier irakien au visage encagoulé. Le trottoir qui longe l'autoroute est très étroit et peu de gens passent ici, mais je n'ai attendu que quelques minutes.

Cette image a fait resurgir un souvenir. Sur la peinture représentant le prisonnier aux électrodes, l'inscription en farsi dit : « L'Irak aujourd'hui. » J'ai pensé alors à une photo que j'avais prise un an auparavant près de Bagdad, quelques semaines après la chute de Saddam. Elle représentait un Irakien assis au milieu d'un charnier, à côté des restes d'un de ses proches exécuté par le dictateur. Il portait un T-shirt sur lequel était écrit en anglais : « L'avenir, c'est maintenant. » "

Behrouz Mehri

Manifestation après l'attentat de Madrid.
12 mars 2004

Le 11 mars 2004, vers 7 h 40, dix bombes explosent dans quatre trains bondés d'employés de bureau, d'ouvriers ou étudiants allant vers la gare d'Atocha à Madrid. Bilan : 191 morts et plus de 1 800 blessés. Ces attentats, d'abord attribués par le gouvernement de José María Aznar à l'organisation séparatiste basque ETA, s'avèrent en fait l'œuvre d'islamistes proches d'Al-Qaïda.

❝

    J'avais couvert les attentats la veille, et cela avait été difficile. J'ai vu des choses que personne ne voudrait jamais voir, les blessés qui appelaient à l'aide, les gens qui pleuraient, le chaos, l'horreur. J'avais travaillé en essayant de garder mes émotions à l'intérieur, mais lorsque je suis rentré chez moi tard le soir, les images me sont revenues et j'ai eu beaucoup de mal à dormir.
Le lendemain des attentats, plus de onze millions de personnes ont manifesté dans toute l'Espagne, dont deux millions dans les rues de Madrid. C'était saisissant. Il y avait un silence sépulcral, seulement rompu par des cris de désespoir ou de colère. J'ai cherché un endroit pour prendre des photos de haut, lorsqu'il s'est mis à pleuvoir. Les gens ont ouvert les parapluies.
Je pense que la photo parle d'elle-même, ces gens sous les parapluies, et certains visages qui regardent vers le ciel comme s'ils demandaient des explications. ❞

Javier Soriano

Lors d'un procès fleuve tenu à Madrid, la justice espagnole a condamné, en octobre 2007, 21 des 28 personnes accusées, dont trois à des peines record de 40 000 ans de prison.

Offensive américaine contre Falloujah.
Irak.
12 novembre 2004

" Sur le toit du Humvee, au-dessus de moi, les mitraillettes crachent en continu leurs salves de métal vers les assaillants. L'odeur de la poudre emplit l'habitacle étroit du véhicule. Un cauchemar pour un claustrophobe. Je suis un prisonnier volontaire de cet enfer. Les douilles des balles tirées au-dessus de ma tête tombent et ricochent sur mon casque. Je gère correctement la peur, mais très mal un sentiment grandissant d'inutilité. Alors qu'on se bat au-dessus de moi, autour de moi, je suis coincé sur mon siège, dans un véhicule blindé sans ouvertures sur l'extérieur. Mon unique raison d'être dans ce cauchemar est de prendre des photos, et je ne peux pas le faire. « Munitions, munitions ! » crie soudain le mitrailleur. Les munitions sont derrière mon dos, j'hésite. « Munitions ! » hurle à nouveau le mitrailleur. Je les lui tends. Face au danger, la vie des soldats et la mienne se sont confondues. Drôle de guerre, où journalistes et militaires ne font qu'un.

Nous sommes à Falloujah, le 12 novembre 2004. Vingt mois après le début de l'invasion de l'Irak, les forces américaines sont aux prises avec l'insurrection sunnite et ont lancé une offensive pour reprendre ce bastion rebelle situé à 50 kilomètres à l'ouest de Bagdad.

Soudain on stoppe. Je sors. « Translator, translator ! » crie un officier en s'adressant à moi. « Dis-leur de sortir lentement les mains en l'air. » Je suis largué, je ne sais pas de quoi il parle, mais je comprends que si je refuse de servir d'intermédiaire, les gens qui sont dans la maison vont se faire tuer. Je transmets les ordres dans un arabe des plus classiques, histoire de bien me faire comprendre. Un homme sans armes, tremblant de peur, sort à petits pas. « Dis-lui de s'arrêter, de remonter sa robe, de se retourner. – Attends, j'ai des photos à faire, moi. » Tout devient confus.

D'autres hommes commencent à sortir de la maison et des bâtiments environnants. « Lève les mains, lève ta robe, retourne-toi. » Derrière l'appareil, je donne des ordres. Pour un peu, on se croirait dans un shooting de mode.

Je suis de plus en plus mal à l'aise. Qu'est-ce que je deviens, là ? Moi c'est Patrick, photographe embedded, pas « translator ». "

Patrick Baz

Prise d'otages par un commando tchétchène. Beslan. Russie. 3 septembre 2004

« 1er septembre, je suis à Makhatchkala, au Daguestan, j'attends un avion pour Moscou après deux semaines en Tchétchénie. Vers 11 h 30, un coup de fil. On me demande d'aller à Beslan : il y a une prise d'otages dans une école ! Je file en taxi, traversant à une vitesse folle le Daguestan et une Tchétchénie en état d'alerte. À Beslan, comme lors des prises d'otages de Boudennovsk (1995), Kizliar (1996), et du théâtre moscovite de la Doubrovka (2002), la situation est désespérée. Plus de mille otages.

2 septembre. Soldats et policiers se déploient. Depuis l'école, des coups de feu retentissent périodiquement. Seuls les terroristes tirent. La nuit venue, la douzaine de photographes présents organise un tour de garde : on a entendu dire que des otages allaient être libérés. Ça n'arrivera pas.

3 septembre, 13 h 06, une explosion résonne. Les forces spéciales courent. Un soldat, fusil pointé sur l'école, leur demande : « Vous passez à l'attaque ou vous reculez ? » Réponse : « On y va. » Des soldats s'enfuient, d'autres donnent l'assaut, des enfants sortent en courant sous les balles. Impossible de savoir qui tire. Des civils courent en portant des enfants. Je file vers l'école, croise des dizaines de personnes, des blessés dans leurs bras, sur leurs dos, sur des planches. Je cours avec eux. J'envoie les photos. Puis je repars et m'arrête à 20 mètres du gymnase de l'école. Là, des militaires et des civils portent des enfants, des femmes. Je photographie tout. De derrière moi, ça tire sur l'école, sur qui ? Je ne vois aucun rebelle aux fenêtres. Des soldats sortent un des leurs, blessé, par une fenêtre. Deux femmes, des otages qui ont réussi à sortir, je crois, s'abritent derrière un transport de troupes blindé. J'appuie sur le déclencheur. Possible que le soldat ait été blessé par les tirs amis. Un officier crie à ses collègues : « Arrêtez de tirer ! On est là ! »

Lorsque les tirs cessent, un Ossète qui passe à côté de moi lance, parlant des militaires : « Les salauds, ils ont tiré sur les gentils. »

Yuri Tutov

Un commando exigeant le retrait des troupes russes de Tchétchénie prend d'assaut l'école n° 1 de Beslan, petite ville du Caucase russe. Trois jours plus tard, à l'issue d'une opération des forces de l'ordre, le bilan est de 332 morts. Plus de la moitié sont des enfants. De nombreux Russes pensent que les autorités continuent de leur cacher le vrai scénario de l'assaut sur l'école, officiellement déclenché après l'explosion accidentelle de bombes du commando.

Évacuation de Yasser Arafat.
Ramallah. Cisjordanie.
29 octobre 2004

" L'état de santé du leader palestinien se détériorait depuis des semaines. Le 29 octobre 2004, un hélicoptère militaire jordanien est venu chercher Yasser Arafat dans son quartier général de la Mouqataa, à Ramallah, où il vivait confiné depuis près de trois ans. L'armée israélienne avait donné son feu vert pour qu'il soit soigné à l'étranger et Arafat devait être évacué dans la journée vers Paris, via Amman.

Depuis des jours, nous réfléchissions aux plans de couverture et aux meilleurs emplacements possibles pour ne pas rater son départ.

L'hélicoptère est arrivé à l'aube. J'étais sur le toit d'un immeuble voisin, mais je ne voyais pas ce qui se passait dans l'enceinte de la Mouqataa.

Je suis descendu et me suis frayé un chemin à travers la foule pour m'approcher. J'ai réussi à monter sur le toit d'une voiture au moment où Arafat, soutenu par ses gardes du corps, embarquait dans l'appareil. L'espace d'une fraction de seconde, il a regardé dans ma direction.

C'est la dernière photo d'Arafat en public. "

Odd Andersen

Le leader palestinien, âgé de 75 ans, est mort quelques jours plus tard à l'hôpital militaire de Clamart, près de Paris. Son décès a été officiellement annoncé le 11 novembre. Les causes exactes de la mort de Yasser Arafat restent à ce jour mystérieuses. Plusieurs responsables palestiniens ont accusé Israël de l'avoir empoisonné, des allégations catégoriquement démenties par l'État hébreu. Selon le rapport médical français, la mort aurait été provoquée par une hémorragie cérébrale à la suite d'une infection, dont les causes n'ont jamais été évoquées. Aucune autopsie n'a été réalisée.

**Révolution orange.
Kiev. Ukraine.
30 novembre 2004**

C'est la révolution orange : des centaines de milliers d'Ukrainiens descendent dans les rues froides et glaciales de cet automne 2004 pour protester contre l'annonce de la « victoire » du candidat « pro-russe » Viktor Ianoukovitch à la présidentielle ukrainienne, entachée de fraudes.

66

C'était une nuit glaciale, il était tard, il neigeait. Plusieurs centaines de partisans du candidat ukrainien pro-occidental Viktor Iouchtchenko, venus de Crimée, venaient d'arriver à Kiev. Ils portaient des casques de chantier orange et des boucliers de fortune. Ils marchaient près de la place de l'Indépendance et se sont mis en rang devant le Parlement. Ils avaient des lampes laser rouges et quand on a pris les photos les rayons nous ont aveuglés. C'est ce qui donne ce côté orange-rouge et flou à la photo. 99

Joe Klammar

Le mouvement permettra à Viktor Iouchtchenko, qui incarne les rêves de démocratie et d'intégration européenne, d'accéder à la présidence en janvier 2005.
La révolution orange portait en elle un formidable espoir de réforme et de changements. Iouchtchenko ne parviendra pas toutefois à combattre les difficultés économiques et sociales, et ne sera pas réélu lors du scrutin de 2010.

Immigrés africains. Canaries.
12 décembre 2004

“ J'ai vécu pendant deux ans sur l'île de Fuerteventura, pour couvrir notamment l'arrivée des immigrés africains sur l'archipel des Canaries. Avant, je pensais que les immigrés fuyaient la guerre et la faim dans leurs pays. Certains viennent de pays comme la Somalie ou la Sierra Leone, où ils vivent dans des conditions très difficiles. Mais l'immense majorité de ceux que j'ai rencontrés et avec qui j'ai pu parler viennent en quête d'un rêve, de ce rêve qu'ils ont vu à la télévision, avec leurs antennes paraboliques. Ils pensent qu'ici tout sera plus facile, qu'ils trouveront un travail, auront une belle voiture, une grande maison…

Mais rien de plus éloigné de la réalité. La société occidentale et développée dans laquelle nous vivons leur colle l'étiquette d'immigrés ILLÉGAUX dès qu'ils mettent le pied sur nos plages pleines de touristes. Ils sont arrêtés et placés pendant quarante jours dans des centres de rétention, où ils ne peuvent pas communiquer avec l'extérieur. Selon moi, ce que vivent ces immigrés à partir du moment où ils quittent leurs pays et arrivent en barque en Europe est la chose la plus avilissante que puisse subir un être humain. Les femmes sont parfois victimes de viols et d'abus sexuels.

La *patera* (barque de fortune) est arrivée à Puerto del Rosario, la capitale de l'île de Fuerteventura. Une chance, tous les immigrés étaient en vie. Je me souviens encore, je les voyais grelotter. Des personnes présentes sur le quai les ont embrassés et réchauffés avec des couvertures, pendant environ une demi-heure, jusqu'à ce que les fourgonnettes de la garde civile arrivent, vides, et bientôt remplies d'immigrés en à peine quelques minutes, pour les conduire au centre de rétention. Certes ils étaient arrivés en Europe. Mais cette nuit-là, et les quarante suivantes, ils ont dormi derrière les barreaux. ”

Samuel Arranda

Mosquée après le tsunami. Aceh.
Sumatra.
19 janvier 2005

Le 26 décembre 2004, un séisme d'une magnitude de 9 sur l'échelle de Richter se produit dans l'océan Indien, au large de l'île indonésienne de Sumatra. Ce tremblement de terre monstrueux, l'un des plus violents jamais enregistrés dans le monde, entraîne un raz de marée qui frappe l'Indonésie, le Sri Lanka, l'Inde et la Thaïlande. Le tsunami fait plus de 220 000 morts, dont près de 170 000 à Aceh, la province du nord de Sumatra la plus proche de l'épicentre.

" J'ai finalement obtenu une place dans un des hélicoptères militaires chargés d'acheminer l'aide aux survivants dans la province d'Aceh. Nous partons vers Calang, sur la côte ouest de Sumatra. Le vol dure une quarantaine de minutes. Nous survolons des zones totalement dévastées : maisons écrasées, ponts et routes détruits, paysage ravagé. Le blanc du sable et le bleu de l'océan tranchent avec la couleur brune de la terre où toutes les constructions ont été balayées. J'aperçois des gens réfugiés sur les collines, qui agitent les mains dans notre direction.
Les seuls bâtiments encore debout sont une usine de ciment, un gros bateau échoué sur la plage et… des mosquées.
Aceh est considéré comme un bastion de l'orthodoxie musulmane, c'est le premier territoire de l'Indonésie actuelle à avoir été islamisé à la fin du XIIIe siècle. Les mosquées, très nombreuses, sont beaucoup plus qu'un lieu de prière : elles sont le point de rassemblement de la communauté, son centre social.
Construites avec des matériaux plus résistants, nombre d'entre elles ont tenu face à la vague. Certains l'ont d'ailleurs interprété comme le signe d'une intervention divine.
Nous arrivons à Calang pour une opération éclair : décharger les équipements de secours et repartir aussitôt. Je ne reste que quelques minutes à terre, c'est durant le vol de retour que je prends cette photo. Elle fait resurgir les sentiments que j'avais éprouvés à l'époque : je me sentais toute petite, complètement impuissante. À Aceh, j'ai vu des centaines et des centaines de cadavres, et je me suis retenue de pleurer en écoutant les témoignages des survivants. "

Adek Berry

Alexis le gorille.
Zoo de Saint-Martin-la-Plaine. Loire.
Juillet 2005

Cette photo prise par **Jean-Philippe Ksiazek** en juillet 2005 au zoo de Saint-Martin-la-Plaine cache une histoire d'amour multiple. Celle d'abord de la passion pour les gorilles de Pierre et Éliane Thivillon, les propriétaires du parc dont les grands singes sont les stars.

Alexis, la vedette de la photo – 31 ans et 180 kg à l'époque – avait été le premier gorille du parc, qui en compte désormais une dizaine. Orphelin recueilli à Brazzaville, il était arrivé au zoo en 1974. Les Thivillon ont eux-mêmes été les vedettes d'un documentaire racontant comment ils avaient littéralement « adopté » une jeune femelle, Digit, que sa mère refusait de nourrir après sa naissance. Sur le cliché, Alexis semble échanger un regard de complicité avec une visiteuse qui se trouve être l'épouse du photographe. « Je ne vois même pas Jean-Philippe prendre la photo, parce que je suis sous le charme du gorille. Il a ce regard étrangement humain, cette intelligence… c'est émotionnel », dit Mme Ksiazek.

L'émotion, c'est aussi que les Ksiazek ont eux-mêmes une histoire peu commune avec un petit singe qu'ils avaient ramené d'un séjour de plusieurs années en Côte d'Ivoire. Un jour Jean-Philippe Ksiazek l'avait trouvé sur un étal de marché vendant de la viande de brousse et, croisant son regard, avait décidé qu'il ne pouvait le laisser là. « J'ai été surprise quand je l'ai vu arriver avec le singe. Ce n'était pas une histoire d'amour au début, mais il m'a adoptée et ça l'est devenu ensuite », se souvient son épouse.

Depuis que la photo a été prise, le gorille et le petit singe des Ksiazek sont décédés.

Exposition Ron Mueck.
Fondation Cartier, Paris.
27 décembre 2005

Le plasticien australien Ron Mueck, célèbre pour ses sculptures hyperréalistes, emploie une technique particulière pour rendre la chair très réelle. Il utilise de vrais cheveux et poils pour ses personnages. Les œuvres sont miniatures ou gigantesques, à l'instar de cette femme « au lit ».

" Tout le monde se sent un peu mal à l'aise. Un tel réalisme te renvoie ton image, te donne accès à des détails de toi-même, de l'être humain, que tu n'as pas l'habitude de voir.
C'était étonnant, parce que très silencieux. Les gens faisaient peu de commentaires. Devant cette géante au lit, chacun avait un petit regard ou un sourire curieux. Personne ne me remarquait, les spectateurs étaient complètement absorbés, fascinés. De l'étage d'où je les prenais en photo, j'avais parfois l'impression qu'ils allaient commencer à discuter avec la sculpture, lui proposer un thé ou un café comme à quelqu'un qui se réveille. "

Thomas Coex

Jean-Paul II.
Place Saint-Pierre. Rome.
4 avril 2005

Jean-Paul II était mort deux jours auparavant, le 2 avril 2005, à l'âge de 84 ans, après des mois d'agonie.

" Le 4 avril, sa dépouille mortelle était transférée du palais apostolique à la basilique Saint-Pierre du Vatican, pour y être exposée pendant trois jours.

Des dizaines de milliers de personnes étaient massées sur la place Saint-Pierre. La scène était un peu paradoxale : le pape, allongé sur une litière drapée de velours rouge, portée par des gardes suisses en costume d'apparat, et des gens qui filment et photographient avec leurs portables…

Je venais de faire une série de photos du corps au milieu de la foule, dans cette atmosphère à la fois pleine de ferveur et d'excitation. Jusque dans la mort, ce pape restait médiatique.

Mais lorsque la dépouille est arrivée devant la basilique, tout a changé soudain : le tableau est devenu très sobre, très solennel. J'ai pris la photo au moment où le corps entre dans la basilique, à l'entrée de laquelle un rideau rouge avait été tendu. Il y avait comme une sorte de sérénité après l'exhibition sur la place Saint-Pierre.

Arrivé à Rome en 2003, je n'ai connu et photographié Jean-Paul II que souffrant et à bout de souffle. Ce qui m'a frappé, et impressionné, c'est le côté surhumain du personnage, obligé de tenir son rôle jusqu'au bout, malgré la maladie et jusque dans l'agonie. Sa fin de vie, sa mort et ses funérailles se sont déroulées sous les yeux du monde entier ! Je me suis souvent dit qu'il n'avait trouvé la tranquillité qu'une fois le tombeau refermé. "

Patrick Hertzog

**Techno party.
Mlynec. République tchèque.
30 juillet 2005**

" Des milliers de fans de musique techno se sont rassemblés dans le village de Mlynec, à 130 kilomètres à l'ouest de Prague. Des originaux. Pour la plupart, ils vivent au jour le jour, voyagent à bord de leur van à travers l'Europe et écoutent ensemble de la techno. Les hippies de notre temps.

Très vite, le Premier ministre tchèque Jirí Paroubek déclare qu'il faut mettre fin à cette « fête de dépravés » pour préserver les riverains. Les fêtards refusent de partir et Paroubek fait appel à la police antiémeute. Je n'arrive pas à croire qu'il va utiliser les armes pour ça. En même temps, je n'ai guère de doute sur ses pratiques.

Quand j'arrive à Mlynec, je vois des centaines de policiers dans le pré. Rangés en phalanges, armés de massues et de canons à eau, ils commencent à pousser les jeunes. L'ambiance me rappelle la répression des manifestations étudiantes de novembre 1989 à Národni Trída, qui inaugurèrent la révolution de velours et la fin du communisme en Tchécoslovaquie.

Soudain, je vois cette fille, quasi nue, qui se met à genoux, les bras grands ouverts, et qui demande à l'armée : « Pourquoi faites-vous ça ? » Elle les supplie d'arrêter. Personne ne l'écoute.

Tout à coup, des fêtards ivres commencent à envoyer des bouteilles et la petite guerre commence. La situation est très chaotique et c'est la panique. Il y a de nombreux blessés des deux côtés. Et je me demande qui sera rendu responsable de ces événements.

Personne n'a été puni ni arrêté pour cette répression. L'histoire se répète. "

Michal Cisek

La bataille fera 80 blessés des deux côtés. Le Premier ministre sera vivement critiqué, y compris par le président Václav Klaus, pour avoir rompu la confiance entre le peuple et la police. Les organisateurs de la CzechTek ont toujours dit que leur rassemblement était autorisé.

Tiger Woods au sommet.
Augusta. États-Unis.
10 avril 2005

Cette photo de Tiger Woods, remportant pour la quatrième fois le célèbre tournoi de golf master au National Golf Club d'Augusta (Géorgie), le 10 avril 2005, est l'extrême concentré, non seulement d'un moment de triomphe, mais d'un cheminement entamé bien plus tôt et qui s'achève par une décharge libératoire, à la hauteur du suspense qui l'a précédée.

" Il faut imaginer un parcours majestueux, d'une herbe quasi manucurée, l'émotion et la tension palpable d'une finale, un « putt » suffisamment long sur le green pour qu'on retienne son souffle et prie pour que Woods ne rate pas son dernier coup.
Il faut imaginer le silence religieux, seulement interrompu par des pépiements d'oiseaux, le club heurtant la balle d'un coup sec, les murmures s'élevant et Tiger Woods reculant pour observer la trajectoire, comme en suspens.
Puis la seconde même où la balle atteint le trou. Et alors la détente fabuleuse, le bras bombé, levé vers le ciel, le cri de la victoire, celle d'une partie de 72 trous au total, parcourus pendant quatre jours pour décrocher le tournoi des Masters. Capter Tigers, l'espace d'un cadrage, d'un moment, d'une année, d'un triomphe. Ce fut une occasion mémorable, alors et encore maintenant. "

Jeff Haynes

Mer d'Aral.
Kazakhstan.
4 août 2005

" Si l'on devait décrire la fin du monde, les paysages de la mer d'Aral pourraient servir de modèle.

En ce début août 2005, il fait plus de 50 degrés. Le silence est total, à l'exception du bruit des semelles qui brisent les coquillages blanchis et vides. Ils jonchent le sol à perte de vue, sur ces fonds desséchés où les algues ont peu à peu été remplacées par les broussailles caractéristiques des steppes du Kazakhstan.

Devant nous se dressent une dizaine de navires rouillés. Alors que la mer reculait dans les années 1960 et 1970, ils avaient été amarrés là, dans cette baie, par leurs capitaines qui espéraient ainsi les mettre à l'abri du recul des flots. Un troupeau de chameaux déambule tranquillement et en silence entre les épaves déglinguées. Ce désert de sel et de sable est devenu leur territoire. Leur lait est désormais une des rares ressources des pêcheurs privés de leur mer.

Nous avançons vers une vaste butte d'une centaine de mètres de hauteur. Du temps de la mer, c'était une île où vivaient des dizaines de pêcheurs. Désormais il n'y a plus rien. Ce cliché raconte l'histoire d'un drame écologique sans précédent. "

Vyacheslav Oseledko

La mer d'Aral, dans le sud-ouest du Kazakhstan, fut autrefois le quatrième plus grand lac salé du monde. Elle a aujourd'hui presque entièrement disparu, sacrifiée par l'homme. Les autorités soviétiques ont construit dans les années 1960 de vastes canaux d'irrigation le long des deux principaux fleuves alimentant l'Aral, afin de développer la culture du coton en Asie centrale. Le point culminant du désastre écologique de la mer d'Aral a été atteint en 1987 lorsqu'elle s'est divisée en deux pour former une « petite » mer d'Aral au nord et une « grande » au sud. En 2001, la Banque mondiale et le gouvernement kazakh ont lancé un projet de construction d'une digue pour sauver la petite Aral. Celle-ci a regagné 50 % de sa surface depuis 2005.

Décharge aux abords d'un marché.
Bichkek. Kirghizistan.
31 mars 2005

"Nous sommes aux abords d'un marché, dans les faubourgs de Bichkek, la capitale kirghize. J'étais au Kirghizistan pour couvrir les violentes émeutes de mars 2005 – la révolution des tulipes – qui devaient aboutir, un mois plus tard, au renversement du président Askar Akaïev. Le peuple se rebellait contre le pouvoir de plus en plus autoritaire d'Akaïev.
À la fin du mois de mars, les choses se calment. Il y a des moments creux. Et je m'intéresse alors à la vie quotidienne.
On m'a parlé d'un grand marché aux abords de la capitale et je me dis que c'est certainement, comme partout ailleurs en Asie centrale, un bon miroir de la vie sociale.
Le marché est intéressant… Mais tout à côté il y a une décharge où vivent des gens, glanant fruits et légumes abandonnés, cartons, bouteilles, tout ce qu'ils peuvent trouver. Et c'est là que je vois, en faisant le tour de la décharge, ce petit garçon et son chien installés dans leur abri de fortune. Leur petite maison en carton."

Viktor Drachev

Cinq ans plus tard, en avril 2010, le Kirghizistan, un des pays les plus pauvres d'Asie centrale, classé régulièrement parmi les plus corrompus au monde, a replongé dans la révolte. Le président kirghiz Kourmanbek Bakiev, à son tour accusé d'autoritarisme et de népotisme, a été évincé du pouvoir à la mi-avril 2010, après de violents affrontements qui ont fait 75 à 100 morts et un millier de blessés.
L'ex-république soviétique occupe une place stratégique en Asie centrale, abritant une base russe et une base militaire américaine, essentielle pour les opérations en Afghanistan.

30ᵉ anniversaire de l'indépendance de la Papouasie-Nouvelle-Guinée. 14 septembre 2005

Les danseurs des très nombreuses tribus de Papouasie-Nouvelle-Guinée s'étaient réunis à Port Moresby, leur capitale, pour célébrer le 30ᵉ anniversaire de leur indépendance de l'Australie. Un reportage coloré et risqué.

« J'avais repéré les danseurs duna du lac Kopiago à leurs peintures corporelles. De larges traits blancs sur fond noir, qui formaient un contraste saisissant. Ils se tenaient à l'abri du soleil brûlant, sous un réservoir d'eau. Ils devaient effectuer la « danse du serpent », mais pour l'instant ils étaient tout aussi intrigués par ma chevelure blonde que je l'étais par leur tenue d'apparat. L'ombre étendait sur eux une lueur douce et uniforme, et ils s'étaient pressés les uns contre les autres, soucieux de figurer tous sur la photo.
Si l'on aperçoit une figure riante, dissimulée par deux visages, on est frappé par le sérieux, le naturel, l'absence de posture de ces danseurs. Ils posent, mais sans concession, sans les mimiques absurdes apprises ailleurs.
Je n'ai pu prolonger la séance. On me pressait de remonter en voiture. Port Moresby passe en effet pour être une des villes les plus dangereuses au monde. En une seule journée, j'avais été dévalisé deux fois, frappé à coups de bâton, et on m'a menacé d'armes de poing à plusieurs reprises.
La Papouasie-Nouvelle-Guinée est une des nations les plus diverses au monde sur le plan culturel, avec plus de 700 tribus différentes. C'est aussi celle qui détient le triste record du plus grand nombre de viols au monde ainsi que de meurtres dans le Pacifique. »

Torsten Blackwood

Enfant de Tchernobyl.
Ukraine.
6 septembre 2005

Le 26 avril 1986, le réacteur numéro 4 de la centrale de Tchernobyl, située dans le nord de l'Ukraine, près de la frontière russe et bélarusse, explosait, contaminant une bonne partie de l'Europe, et surtout ces trois pays (Ukraine, Belarus, Russie), alors républiques de l'URSS. Officiellement, rien qu'en Ukraine, 2,3 millions de personnes sont considérées comme « ayant souffert à la suite de la catastrophe ».

66 Travaillant à un reportage sur les suites de la catastrophe nucléaire de Tchernobyl vingt ans après, je me suis rendu en septembre 2005 dans un institut de cancérologie où de nombreux enfants subissaient des chimiothérapies et d'autres traitements contre le cancer. Dans une salle, des aides-soignants ou des volontaires avaient collé des silhouettes d'oiseaux en papier sur les fenêtres. Lorsque j'ai vu le petit Vladislav Petrov, trois ans et demi, se diriger vers la fenêtre avec son masque sur le visage et tendre la main vers les oiseaux, j'ai vu une image qui parlerait d'elle-même. 99

Viktor Drachev

Émeutes en banlieue parisienne.
Clichy-sous-Bois.
28 octobre 2005

Quelques heures auparavant, deux adolescents, Zyed et Bouna, sont morts électrocutés dans un transformateur EDF après une course-poursuite avec la police.
Ce drame va déclencher trois semaines d'émeutes et de violences dans les banlieues françaises.

66 En arrivant sur place nous avons l'impression d'avoir déjà vécu cette scène. Des voitures qui brûlent, des policiers, des jeunes. Un grand classique dans les relations complexes médias/ quartiers. Les médias ne s'intéressent aux banlieues que quand ça explose. Un reportage en période calme, ça n'intéresse personne, ou pas grand monde.
Le surlendemain je pars en Afghanistan. Émeutes généralisées, état d'urgence. En regardant CNN, j'ai l'impression que c'est en France qu'il y a la guerre. 99

Joël Saget

**Rencontre Bush-Poutine. Russie.
8 mai 2005**

❝ George W. Bush et son épouse passaient la nuit dans la résidence de campagne du président russe Vladimir Poutine, en dehors de Moscou, lors d'une visite en mai 2005 à l'occasion des célébrations du 60ᵉ anniversaire de la victoire de 1945. Je faisais partie du pool photo de la Maison Blanche accompagnant M. Bush pour une rencontre Bush-Poutine. Après une première séance de photos, on nous a avertis qu'il y en aurait une seconde car le président russe voulait montrer à son hôte sa voiture de collection, une Volga 1956. Nous attendions derrière des cordes, comme d'habitude, quand les présidents sont apparus, ont examiné la voiture et se sont installés à

l'intérieur, Bush au volant. « Super, deux adolescents. Bush va-t-il imiter un bruit de moteur ? » me suis-je demandé. À notre grande surprise, ils ont démarré, tout sourire, et ont disparu de notre champ de vision. Dans le métier on appelle ça un imprévu. Mais la voiture a réapparu au bout d'une allée et les photographes se sont précipités vers l'extrémité de l'enclos de presse le plus proche du véhicule.

Je savais que la photo serait difficile. C'était le crépuscule, dans une forêt. La voiture était blanche et les deux hommes les plus puissants du monde à l'intérieur portaient des costumes sombres. Je me suis posté tout seul à l'autre extrémité de l'enclos, me disant qu'au moins j'aurais quelques secondes de plus que mes collègues pour faire davantage de clichés. Et ça a marché ! ❞

Tim Sloan

Horse Guard. Westminster. 17 mai 2005

Avant la cérémonie d'ouverture du Parlement, au palais de Westminster, chaque Horse Guard vérifie sa tenue.

❝ Les polir encore ou ne plus les polir ? Un de mes reportages préférés. La reine arrive en carrosse. Le discours du Trône a lieu devant la Chambre des lords. Chaque année, les journalistes se voient assigner une place différente. Je déambulais dans les souterrains avant la cérémonie. Soudain, je tombe sur un des cavaliers de la reine. Il inspectait ses bottes qu'il avait pourtant astiquées des heures durant. Le dos tourné, j'ai fait semblant de chercher quelque chose dans mon sac, puis je me suis retourné pour le photographier. Quand il s'en est aperçu, il a tourné les talons et a enfilé ses bottes. ❞

Adrian Dennis

Une école à Falloujah.
Irak.
18 octobre 2005

En novembre 2004, l'armée américaine a déclenché une
très violente offensive contre le bastion rebelle sunnite de
Falloujah, à 50 kilomètres à l'ouest de Bagdad. Quelque
250 000 habitants ont fui les combats avant de retourner
progressivement chez eux. La ville a depuis été régulièrement la cible d'attentats.

66 Après avoir assisté aux deux assauts sur
Falloujah en 2004, j'ai voulu revenir sur mes pas
un an après pour voir ce qu'était devenue la ville.
À l'époque, la branche irakienne d'Al-Qaïda avait
fait de Falloujah son quartier général. Tous les
accès étaient bloqués par des barrages installés
par l'armée américaine et la police irakienne. Des
laissez-passer avaient été imposés aux résidents
et tout visiteur devait obtenir un permis d'accès.
Afin de revoir les zones que j'avais déjà visitées,
j'ai rejoint l'unité des Affaires civiles des Marines.
Sur place, près de 60 % des habitants avaient
regagné leur domicile, beaucoup vivaient dans
des maisons en ruine. Les écoliers suivaient leurs
cours dans des établissements dépourvus de toit.
Les classes n'étaient plus mixtes, les enseignantes
portaient le niqab et des gants noirs.
Un an après la prise de la ville par les Marines,
les islamistes sévissaient toujours. 99

Patrick Baz

**Tremblement de terre au Cachemire.
Pakistan.
11 novembre 2005**

Le 8 octobre 2005, un séisme d'une magnitude de 7,6 frappe le nord-ouest du Pakistan et fait 74 000 morts, essentiellement au Cachemire.

"
Au début, l'odeur de la mort était partout. C'était pénible de travailler. L'odeur des corps en décomposition ne vous quittait pas. Puis on s'est habitué.
La plupart des villes n'étaient plus que ruines. Muzaffarabad, la capitale du Cachemire pakistanais, était pratiquement rasée. Les rues avaient disparu. Des corps innombrables étaient coincés dans les débris. Beaucoup y sont restés pendant des jours.
C'était difficile pour les secouristes de travailler : ils manquaient d'engins et d'équipements et avaient du mal à atteindre les zones touchées car les routes étaient détruites.
Sur la photo, une famille emporte le cadavre d'une victime pour l'enterrer dans son village de Chall Pani, à 15 kilomètres de Muzaffarabad. Le corps n'a pu être dégagé des ruines que plusieurs semaines après le séisme, le 11 novembre. "
Asif Hassan

**Cyclone Katrina.
La Nouvelle-Orléans.
26 septembre 2005**

La Nouvelle-Orléans a essuyé deux cyclones successifs, Katrina et Rita. Katrina, le plus dévastateur, est passé le 29 août, un mois auparavant. 80 % de la ville a été inondé et 832 personnes ont péri. Le passage de Rita a épargné la ville mais a entraîné la rupture d'une des digues qui protègent la cité, bâtie en partie sous le niveau de la mer. Un quartier a été inondé.

❝ J'étais arrivée à La Nouvelle-Orléans quelques jours plus tôt. Il n'y avait presque plus de réfugiés au Superdome, mais la ville était encore dans un chaos effarant. Les zones inondées étaient des no man's land, pas de panneaux de signalisation, pas de police, pas de loi. Tu pouvais aller où tu voulais, comme tu voulais, à condition de braver un mètre d'eau, voire plus, dans les rues encore inondées. Se déplacer était donc extrêmement compliqué, voire impossible. Je n'avais pu voir que quelques petits secteurs de La Nouvelle-Orléans. Ce n'est que lorsque j'ai loué cet hélicoptère que j'ai pris la mesure de la catastrophe. L'étendue des ravages sautait aux yeux lorsqu'on survolait la ville : des zones entières étaient totalement inondées, et on ne voyait pas âme qui vive à des kilomètres à la ronde.
Ce jour-là, j'ai compris que La Nouvelle-Orléans mettrait des années, sinon des décennies, à se relever. ❞

Robyn Beck

Procès de Saddam Hussein, Bagdad.
5 décembre 2005

Le 5 décembre 2005, la troisième audience du procès de Saddam Hussein et de sept coaccusés, dont son demi-frère Barzan Ibrahim Al-Tikriti, est émaillée de vifs échanges. L'ancien président irakien est jugé pour le massacre, dans les années 1980, de 148 habitants chiites du village de Doujaïl, en représailles à un attentat contre son convoi. Il avait été arrêté le 13 décembre 2003 près de son fief de Tikrit.

66 Le monde entier se posait la question et la photo apportait la réponse. Après quelque trois décennies au pouvoir et deux années d'emprisonnement, Saddam Hussein, humilié, était jugé. Comment allait-il réagir ?
Saddam était de retour, plus en colère que jamais. C'était un moment unique, jamais vu auparavant, avec un retentissement politique majeur. Et comment les Irakiens allaient-ils réagir en voyant l'ancien dictateur se tenant debout, en train de pester, devant un tribunal soutenu par des puissances étrangères ?
Nous n'étions pas les seuls à percevoir l'importance du moment. Pour pouvoir être présents, nous avions dû négocier âprement avec les autorités irakiennes et américaines. Cela avait été une tâche monumentale : la liberté de la presse n'était pas une tradition dans le pays, pas plus qu'une justice ouverte. La négociation avait été d'autant plus difficile que la construction de la salle d'audience n'était pas achevée quand le procès a débuté.
Les mesures de sécurité étaient renforcées. Tout le monde était nerveux et craignait un attentat. La nuit précédant l'audience, nous avons testé le système d'édition que nous devions utiliser pour envoyer nos photos. Il ne fonctionnait pas. Le matin suivant, avocats et journalistes ont été amenés sous bonne escorte à la salle d'audience. Nous avons testé le système encore une fois. Nouvel échec. J'étais nerveux.
Quand l'audience a finalement débuté, je n'étais toujours pas certain que nous pourrions envoyer des photos aux rédactions. Mais, sans que je puisse l'expliquer, sitôt l'audience commencée, le système a fonctionné. Nous avions capté un moment d'Histoire. 99

David Furst

Saddam Hussein, qui a dirigé l'Irak d'une main de fer de 1979 jusqu'à la chute du régime en avril 2003, a été condamné à mort le 5 novembre 2006 et exécuté le 30 décembre suivant.

**Immigrants traversant le Rio Grande.
Mexique.
27 février 2006**

À cet endroit-là, 15 mètres séparent les deux rives du Rio Grande. 15 mètres entre le Mexique et les États-Unis. Les passeurs font payer en moyenne 60 dollars par personne pour la traversée du Rio Grande. Selon la Commission nationale des droits de l'homme (CNDH) à Mexico, plus de 5 000 Mexicains sont morts ces quinze dernières années en tentant de franchir clandestinement la frontière des États-Unis.

66 Nous avions pris contact avec les « coyotes » (les passeurs mexicains), des jeunes de 15 à 20 ans, avec qui on ne plaisante pas.
Ils nous avaient ordonné de nous planquer dans les herbes et arbustes qui bordent le fleuve. « Il faut être patient. Pas de panique, ça va traverser aujourd'hui. »
Les coyotes utilisent de petites baraques au bord de l'eau pour observer la rive opposée et surveiller les patrouilles de la police des frontières américaine. Quand la voie est libre, ils foncent. Ce jour-là, trois d'entre eux ont fait passer une famille de sept personnes avec deux enfants.
À cette époque, l'eau est basse, les adultes avaient pied. Mais si tu t'écartes de quelques mètres, tu peux te noyer. Les passeurs connaissent exactement les endroits où traverser.
Le temps d'amener la famille sur l'autre rive et de revenir, cela leur a pris dix minutes, un quart d'heure maximum.
Au retour, un des trois passeurs m'a aperçu en train de photographier. Il s'est mis à me hurler dessus, il était effrayant. Les deux autres l'ont calmé, lui ont expliqué pourquoi nous étions là. Le type s'est un peu apaisé, mais il m'a fait comprendre que si son visage se retrouvait sur une photo, il saurait où me retrouver. La dernière des choses dont tu as envie, c'est d'avoir un problème avec ces gars-là. 99

Omar Torres

Nicolas Sarkozy à l'Université d'été de l'UMP. Marseille.
2 septembre 2006

" Université d'été de l'UMP à Marseille. Nicolas Sarkozy n'était pas encore candidat officiel à la présidence de la République mais tout le monde se doutait bien qu'il se présenterait. Je couvre le meeting avec Michèle Alliot-Marie, alors ministre de la Défense, et on m'appelle : « Sarko est en salle de presse, il n'y a pas de caméras mais les photographes sont admis. »

Nicolas Sarkozy était assis, tous les journalistes debout et sa garde rapprochée à ses pieds. Cela faisait un arc de cercle : c'était très christique. Je me suis mis devant. Soudain, une journaliste dans son dos lui pose une question. Sarkozy répond : « Je savais que c'était toi qui poserais la question » et il lève les yeux au ciel en joignant les mains. C'était parfait. Déjà la scène faisait penser au Christ et aux apôtres, et en plus il joignait les mains !

Cette photo est aussi censée montrer la connivence entre le monde politique et le monde journalistique. Tout le monde sourit. Sarkozy tutoyait à tire-larigot. D'une manière générale, tout le monde se tapait dans le dos, c'était ambiance café-petits gâteaux. Ce manque de distance était gênant.

On m'a reproché cette photo : peut-être que certains journalistes se sont fait taper sur les doigts par leurs rédactions agacées par une complicité apparente avec le ministre. On m'a raconté aussi que cela avait énervé Sarkozy, pour la même raison. Son service de communication a plus tard resserré les rangs pour qu'il n'y ait pas trop d'images en dehors des photos organisées. "

Olivier Laban-Mattei

Nicolas Sarkozy est président du parti de la majorité de droite UMP et ministre de l'Intérieur. Il sera élu chef de l'État français en mai 2007.

Fidel Castro et Hugo Chávez.
Córdoba. Argentine.
21 juillet 2006

Après le 30ᵉ sommet du Mercosur, le marché commun sud-
américain. Fidel Castro, au pouvoir depuis 47 ans, va avoir
80 ans dans quelques jours. Il s'offre une cure de jouvence
devant 20 000 personnes. Pendant près de trois heures,
il s'enflamme dans une diatribe contre l'ennemi américain : « Vous savez qui est l'ennemi principal, c'est l'im-
périalisme ! »
À ses côtés, Hugo Chávez, au pouvoir depuis 1999 au
Venezuela. Celui qui rêve d'incarner le mythe du libéra-
teur latino-américain ne cache pas son admiration pour
son mentor cubain qu'il appelle un « père ».

" Il faisait nuit et très froid. J'étais entouré
d'adolescents plus occupés à fumer de la mari-
juana qu'à écouter Castro. C'était après le sommet du Mercosur de Córdoba en Argentine, dans
un stade, le dernier voyage du dirigeant cubain à
l'étranger.
Le discours de Castro était interminable. Après
son speech, un de ses proches lui a reproché
d'avoir été trop long et lui a signalé qu'il n'avait
même pas mentionné le nom de Che Guevara,
dont Córdoba est la ville natale. Alors, Castro a
repris le micro... Et a annoncé qu'il se rendrait
à la maison familiale du Che et qu'il parlerait de
lui là-bas.
De cette soirée, je n'ai envoyé qu'une seule de
mes photos. Elle s'est imposée quand j'ai vu l'expression des deux hommes : pendant son discours Castro présentait Chávez comme son
successeur. "
Pablo Porciuncula

Le 31 juillet 2006, le Lider maximo cédait le pouvoir à son
frère Raúl suite à une grave opération chirurgicale effec-
tuée six jours après la photo.

**Chute lors du Grand National.
Aintree. Grande-Bretagne.
7 avril 2006**

Le Grand National d'Aintree près de Liverpool, est une course d'obstacles très populaire, sans doute la plus spectaculaire au monde. Elle a lieu chaque année en avril depuis plus d'un siècle – à l'exception des années de la Seconde Guerre mondiale.

" Avec son parcours de 7,2 kilomètres et sa trentaine d'obstacles, ce steeple-chase est considéré comme le plus exigeant et le plus dangereux, ce qui lui vaut des critiques des défenseurs des animaux car il n'est pas rare que des chevaux s'y blessent mortellement.

À Ascot et au célèbre derby d'Epsom, les photographes consacrent toute leur attention aux tenues très recherchées et parfois extravagantes des dames, notamment leurs chapeaux. C'est aussi le cas quoiqu'à un moindre degré à Aintree, situé dans le cœur industriel du nord-ouest de l'Angleterre.

La photo a été prise le vendredi, considéré traditionnellement comme le jour des dames, la veille de la célèbre course. Et cette fois c'est un cheval qui a eu la vedette. M'étant concentré sur les tenues des dames, j'avais prévu de ne photographier qu'une course ce jour-là, la seule – avant l'épreuve reine du lendemain – à comporter un obstacle particulièrement difficile, The Chair Fence, théâtre de nombreuses chutes car les chevaux sont souvent fatigués lorsqu'ils l'abordent. Je m'étais donc posté en vue de l'obstacle lorsque le cheval français Tamango, monté par Richard Johnson, un ancien petit ami de Zara Philips, la petite-fille de la reine Elizabeth, fit une chute dont je n'ai pas mesuré tout de suite le côté spectaculaire.

C'est en examinant la photo plus tard que j'ai réalisé l'inquiétante torsion de l'encolure du cheval. Après sa publication, j'ai reçu de nombreux coups de fil de personnes inquiètes, qui voulaient s'enquérir du sort du cheval. Je suis heureux de préciser que Tamango ne s'est pas brisé le cou ce jour-là et a continué à courir. "

Paul Ellis

Zidane et Materazzi. Coupe du monde de foot. Berlin.
9 juillet 2006

Extrêmement rapide, complètement imprévisible. C'est un concours de circonstances qui mène à cette photo, la seule qui fut prise à ce moment précis du coup de tête le plus célèbre de l'histoire du foot, et la plus téléchargée dans l'histoire de l'AFP.

" France-Italie. Finale de la Coupe du monde de foot à Berlin. Nous sommes une dizaine de photographes AFP accrédités. Je ne couvre ce sport que depuis deux ans et ce match commence mal pour moi : je n'ai qu'une place en tribune, j'ai un objectif 300/800 mm (« Il n'y a plus de 400 mm pour toi »), et un cahier des charges un peu stressant : « Suis Zidane », « fais de l'art », « sors une photo différente ».

Je tente un certain nombre d'astuces : vitesse lente, cadrages larges puis serrés, mais rien n'y fait… À la fin du temps réglementaire, je n'ai pas sorti une seule photo satisfaisante.

Pendant les prolongations, j'aperçois un petit accrochage entre Zinedine Zidane et Marco Materazzi près de la surface de réparation, Materazzi marque Zidane de façon agressive, lui tire le maillot… Il y a un échange, je zoome. Peut-être y aura-t-il une échauffourée, un peu d'émotion, peut-être une photo ?

Je cadre sans déclencher, mais il ne se passe rien, Zidane sort du cadre, Materazzi l'interpelle. Zidane se retourne et revient face à Materazzi… Surpris par la rapidité du geste, je déclenche, par réflexe nerveux.

Je suis moi-même choqué et me tourne vers mes collègues assis à côté de moi : ils suivent l'action de l'autre côté du terrain et n'ont rien vu.

Je continue de photographier les suites de l'incident : Materazzi à terre, l'inévitable carton rouge, l'expulsion de Zidane à la 110e minute. Les Italiens remporteront le match quelques minutes plus tard, vainqueurs 5-3 aux tirs au but.

Je déstocke ma carte et, cinq minutes plus tard, un collègue monte en tribune : ai-je d'autres photos du coup de boule ?

Non, une seule photo. Un seul déclenchement. Un bref moment d'intimité avec les deux joueurs, ignoré par des milliers de spectateurs alors occupés à suivre l'action. Et la saisie d'un moment où tout bascule : un coup de folie qui a peut-être privé la France d'une victoire, et un point final sulfureux à la carrière jusque-là irréprochable de Zinedine Zidane. "

John MacDougall

Faucheurs d'OGM. Gers.
19 août 2006

Plus de 200 personnes réunies à l'appel du collectif des
Faucheurs volontaires d'OGM, dont José Bové, s'attaquent
à une parcelle de maïs transgénique à Miradoux (Gers).

" Suivre les actions de ces faucheurs est
quelque chose d'intense. Très surveillées, les opérations se terminent toujours par des interpellations. Ce jour-là, une vingtaine de gendarmes les
observaient depuis le bord de la parcelle, un hélicoptère survolait la zone et des véhicules bleus
quadrillaient les alentours. La tension montait.
Tous imaginaient que les interpellations ne tar-
deraient pas. Pourtant, à la surprise générale, le
fauchage s'est terminé sous le regard des gendarmes qui ne sont pas intervenus… "

Lionel Bonaventure

Manifestation contre le CPE.
Bordeaux.
28 mars 2006

De janvier à avril 2006, le CPE, un contrat de travail à destination des moins de 26 ans imaginé par le gouvernement
de droite de Dominique de Villepin, a suscité la colère des
jeunes et mis des milliers de personnes dans la rue.
Troublante reproduction du tableau *La Liberté guidant le
peuple* d'Eugène Delacroix (1830), la photo prise à Bordeaux
a fait de Florence, 33 ans à l'époque, l'égérie des adver-
saires du CPE. Ce 28 mars 2006, entre un et trois millions
de personnes, selon les sources, ont manifesté dans toute
la France. Le CPE sera enterré quelques semaines plus tard.

" C'était à la fin de la manif, la jeune femme
est montée sur un poteau de feu rouge, et une de
ses copines a tiré sur sa chemise, dévoilant sa poitrine. Les manifestants se sont alors mis à crier et
ont hissé la jeune femme sur un abribus. En pre-
nant la photo, j'ai pensé au tableau de Delacroix.
Lorsqu'elle est redescendue, je me suis approché
pour lui donner ma carte, mais elle a été happée
par la foule et a disparu.

Or, une fois la photo transmise, ça a été un véritable déferlement, tout le monde voulait savoir qui
était « la Marianne de la manifestation ». Elle était
devenue un symbole de la lutte contre le CPE
(Contrat premier emploi).

Une semaine après, je l'ai retrouvée par l'intermédiaire d'un journaliste de l'agence qui la
connaissait. J'ai fait son portrait, chez elle. "

Jean-Pierre Muller

Guerre entre Israël et le Hezbollah.
Liban.
30 juillet 2006

Le 30 juillet, au plus fort de la guerre, Israël bombarde un immeuble de Cana, dans le sud du Liban. 52 civils, dont 30 enfants, qui s'étaient réfugiés dans des caves, sont tués dans l'effondrement de l'immeuble.
La guerre fera au total plus de 1 200 tués côté libanais, en majorité des civils, et 160 du côté israélien, surtout des militaires.

“ Très tôt le matin, nous avons eu des informations selon lesquelles un village avait été bombardé et de nombreux civils tués.
Un convoi de la Croix-Rouge devait partir plus tard avec les journalistes, mais avec quatre confrères nous avons décidé de nous rendre sur les lieux sans attendre. C'était risqué, mais l'histoire avait l'air importante.
Lorsque nous sommes arrivés dans le secteur de Cana, les chasseurs israéliens survolaient la zone, nous avons dû sortir des voitures.
Dans le village, tout était détruit, recouvert de poussière grise. C'est alors qu'on a vu sortir cet homme d'un coin de rue, avec la petite fille dans les bras. Il appelait à l'aide, elle était morte. Il venait d'une maison qui s'était écroulée. Toute une famille, réfugiée dans la cave au moment où le raid israélien avait commencé, était sous les décombres. Les gens sortaient les corps un par un, il y avait des enfants, des femmes. ”

Nicolas Asfouri

**Manifestation précédant
les élections présidentielles.
République démocratique du Congo.
25 juillet 2006**

Le 30 juillet 2006, les citoyens de République démocratique du Congo votent pour les premières élections libres depuis plus de quarante ans, un scrutin présenté comme crucial pour la paix et la stabilité dans l'ex-Zaïre.
Le président sortant Joseph Kabila est officiellement élu le 27 novembre, après un deuxième tour, et des mois de tensions et violences meurtrières entre son camp et celui de son adversaire Jean-Pierre Bemba.

66 Ça se passe dans une banlieue assez dangereuse de Kinshasa, près de l'aéroport, cinq jours avant les élections présidentielle et législatives en République démocratique du Congo. Les partisans de l'opposant Étienne Tshisekedi, hostiles à la tenue du scrutin, manifestaient sur la grand-route de l'aéroport. Ils étaient environ 500, et la police congolaise, pour les disperser, s'était arrangée pour séparer les manifestants en plusieurs groupes, en installant des barrages à plusieurs endroits sur la route.
Dans la manœuvre, les journalistes ont aussi été isolés… Nous nous sommes retrouvés seuls avec les manifestants, sans aucune protection. Et ce n'était pas sympathique. Les gens étaient furieux contre les Blancs, contre les Européens en général, accusés de soutenir Kabila et de s'ingérer dans les affaires du pays. Certains étaient saouls, drogués.
J'ai été frappé, ils ont coupé ma chemise avec un couteau pour récupérer mon portable, ça commençait à sentir le lynchage.
J'ai pris la photo de la femme qui fuit les gaz lacrymo, et je me suis cassé en courant. Avec mes collègues, on a marché plusieurs kilomètres pour rejoindre un barrage de police.
Un de mes amis a pris une photo de moi ce jour-là : je suis blanc comme un cadavre. 99
Marco Longari

**Exécutions capitales.
Koweït.
21 novembre 2006**

Ce 21 novembre 2006, à la prison centrale (25 km à l'ouest
de Koweit City), les bourreaux exécutent deux Pakistanais
coupables de trafic de drogue, un Bangladais et un apa-
tride coupables de meurtre avec préméditation.
Dans le pays, la peine de mort est exécutée par pendai-
son. Elle est prévue sur la base de la charia (loi coranique).
Selon l'organisation Ensemble contre la peine de mort, une
quarantaine de personnes ont été exécutées au Koweït
entre 1991 et 2007. Depuis deux ans, les journalistes ne
sont plus autorisés à assister aux exécutions.

" J'avais oublié que j'avais couvert ces exécutions. Et je suis horrifié rien que d'y repenser.
Ce moment où l'on marche entre les corps sus-
pendus des condamnés tout juste exécutés… Les
bourreaux koweïtiens attendaient alors que les
médecins viennent confirmer la mort avant d'en-
lever les cadavres de la potence.
C'est difficile de regarder un être humain se faire
exécuter, même s'il est coupable. Quand cela a
été fini, la première chose qui m'est venue en tête
a été de rentrer à la maison et de serrer mes
enfants dans mes bras…
J'ai dû couvrir en tout sept ou huit exécutions.
Chaque fois le nombre de condamnés variait, de
un à quatre. Parfois, quand des proches des victimes assistaient à la mise à mort, certains prenaient des photos et exprimaient leur joie de voir
le meurtrier ainsi puni. "

Yasser Al-Zayyat

**Gare de Dongcheng.
Heilongjiang. Chine.
3 juin 2006**

La Chine se prépare à retirer ses dernières locomotives à vapeur alimentées au charbon, mais le prix élevé des hydrocarbures prolonge un peu leur existence. Quelques centaines de ces locomotives sillonnent encore le pays, la plupart pour transporter des minéraux, et notamment du charbon, sur des voies isolées dans des régions minières.

" Je marchais entre les trains qui s'avançaient ou reculaient dans cette gare de triage de Dongcheng à Jixi, dans la province de Heilongjiang (extrême nord-est de la Chine), en faisant très attention. Un homme a émergé entre les voies, un sac de charbon sur le dos. Il gagnait sa vie en ramassant des débris de charbon, un métier dangereux mais moins que d'être mineur en Chine. Un peu plus loin, un conducteur de train prenait sa pause. Lui et sa machine semblent en symbiose, faisant leur pause ensemble et chacun fumant de son côté.
Les conducteurs ici racontent que chaque locomotive a sa personnalité propre, comme chaque conducteur, et qu'elles leur manqueraient si elles venaient à disparaître. "

Peter Parks

Enfant inupiak.
Shishmaref. Alaska.
27 septembre 2006

" J'ai passé une dizaine de jours à Shishmaref, une petite île d'Alaska, à moins de 200 kilomètres des côtes de la Russie. Un territoire qui est en train de disparaître à cause du réchauffement climatique, et les Inuits qui y habitent vont devoir être transférés ailleurs.

Shishmaref abrite une centaine de familles, soit près de 600 personnes, toutes logées dans des préfabriqués. Il n'y a pas d'eau courante, les habitants vivent de la chasse et de la pêche.

Ce petit gamin était super sympa, il me suivait partout. J'avais loué un préfabriqué à côté de celui où il vivait avec toute sa famille, grands-parents compris. Jusqu'à 14 ou 15 ans, les enfants vont à l'école – il y en a une sur l'île –, puis ils deviennent chasseurs-pêcheurs.

C'était un beau reportage, parfois un peu triste : Shishmaref est voué à disparaître et la communauté inuit est confrontée aux mêmes problèmes que les Indiens d'Amérique : alcoolisme, pauvreté… "

Gabriel Bouys

Shishmaref est posé sur du permafrost (terre gelée en permanence) qui est en train de fondre. En trente ans, les températures ont augmenté de plus de quatre degrés. D'après les experts, les Inupiaks devront avoir abandonné Shishmaref d'ici quinze ans.

En 2002, lors d'un référendum local, 88 % des habitants de l'île ont voté pour le déménagement du village à Tin Creek, un espace vierge et protégé de l'érosion, qui a le mérite de n'être qu'à une quinzaine de kilomètres de Shishmaref. Cette proximité permettrait à la communauté de conserver sa culture intimement liée au territoire ancestral et à l'environnement proche.

**Hanukah dans une colonie sauvage.
Givat Skali. Cisjordanie.
21 décembre 2006**

La colonie sauvage de Givat Skali, à l'est de la ville de Naplouse, dans le nord de la Cisjordanie.
Le gouvernement israélien d'Ehoud Olmert a annoncé quelques mois plus tôt son intention de mettre un terme au phénomène de la colonisation sauvage, ces « avant-postes » composés de quelques caravanes ou maisons, érigés par des colons juifs en Cisjordanie sans le feu vert des autorités. Givat Skali devait être démantelée. Elle existe toujours aujourd'hui.

❝ Un groupe de colons avait organisé une tournée des avant-postes et je les avais suivis toute la journée. Givat Skali était la dernière étape.
Nous sommes arrivés avant le coucher du soleil, au moment où Yitzhak Skali, le fondateur de la colonie sauvage, allumait les bougies de Hanukah (la fête des lumières).
Au départ, il s'est montré très suspicieux. C'est un fanatique qui refuse tout contact avec les journalistes, particulièrement la presse étrangère. Il m'a d'abord défié, m'a demandé mon nom. Puis, j'ignore pourquoi, il a finalement choisi de ne pas m'interroger davantage et m'a laissé entrer dans sa maison. ❞

Menahem Kahana

2007

Dernier Paris-Dakar au Sénégal.
21 janvier 2007

Dernière étape du Paris-Dakar au bord du lac Rose, à 30 kilomètres au nord-est de la capitale sénégalaise.

« C'est un grand lagon qui concentre d'énormes quantités de sel, d'où sa teinte, qui vire du rose au mauve en fonction du soleil. La compétition est terminée. Stéphane Peterhansel a remporté son 9ᵉ Dakar et ce n'est désormais qu'une promenade avant les cérémonies de podium. Nous sommes dans l'hélico, à une centaine de mètres de hauteur environ. J'ai une vue complète : la Mitsubishi de Peterhansel, ses traces dans le sel, la couleur fascinante du lac, qui varie en fonction de notre position par rapport au soleil, les pirogues et le sel sur les rives, les cabanes, les gens. C'est mon premier Paris-Dakar. »

Damien Meyer

Défilé Pierre Cardin.
Chine.
20 octobre 2007

Pierre Cardin en personne était là pour présenter sa collection printemps-été. 200 tenues, beaucoup de blanc et de rouge de Chine, inspirées par Marco Polo, l'explorateur arrivé par la route de la Soie 700 ans auparavant. Le couturier français est extrêmement connu et apprécié en Chine, où il s'est implanté en 1978, et il a été le premier Occidental à lancer une collection dans ce pays.

" Imagine l'une des régions les plus reculées de la Chine, un endroit absolument fantastique : les dunes de Dunhuang, une ville du Nord-Ouest située sur l'ancienne route de la Soie.
Imagine le ciel complètement bleu, la lumière des dernières heures du jour.
Imagine maintenant des mannequins qui surgissent de derrière une dune, et qui empruntent un étroit podium serpentant à travers le désert sur plusieurs dizaines de mètres.
Imagine enfin la musique d'un défilé de mode qui résonne dans le désert et les happy few, industriels de la mode et journalistes, installés sur des bancs en contrebas de la dune. "

Peter Parks

America's Cup.
Valence. Espagne.
27 avril 2007

Depuis 1851, l'Aiguière d'argent de l'America's Cup, la course de voile la plus prestigieuse au monde, attise la convoitise des milliardaires. À Valence (Espagne), en 2007, son détenteur, Ernesto Bertarelli, armateur d'Alinghi, défendait avec succès son trophée contre son challenger, l'Américain Larry Ellison, à bord du *BMW Oracle*.

" Jamais je n'avais couvert une course de l'ampleur de l'America. Pourtant, j'avais une longue habitude des régates, habitant Vigo, sur la côte de la Galice. J'en photographiais régulièrement. D'abord parce que j'aime la mer, ensuite parce que j'aime la voile. Pour l'America's Cup, j'avais envie de montrer la course, les bateaux, au ras de l'eau. Je voulais qu'en voyant mes photos on puisse « sentir » l'eau, le sel, comme s'ils nous fouettaient le visage. C'était devenu mon obsession.
Techniquement, ce n'est pas sorcier. Il suffit de placer le boîtier dans un caisson étanche, puis dans l'eau… et voilà. Avec un peu de chance, on obtient une bonne image. Je voulais une photo singulière, qui attire l'œil. La chance m'a souri ! "

Miguel Riopa-Alende

Coupe du monde de rugby.
Paris.
14 octobre 2007

Face aux Pumas argentins, l'ailier sud-africain s'envole sur la pelouse du Stade de France pour marquer un essai et assurer définitivement la qualification de son équipe en finale de la Coupe du monde de rugby. Lors de cette ultime rencontre, les Springboks domineront l'Angleterre 15 à 6 et remporteront leur deuxième couronne mondiale, après celle de 1995.

" Bryan Habana était l'ailier vedette de la Coupe du monde et son plongeon, lorsqu'il marquait un essai, était sa marque de fabrique. Tout le monde savait que, s'il en avait l'occasion, il volerait au-dessus de la ligne d'en-but. Les photographes étaient nerveux, personne ne voulait rater ce moment. Cette tension était renforcée par le fait que, durant sa course, il était partiellement caché par un des poteaux de but. Il fallait donc croiser les doigts pour que la photo soit réussie. "

William West

**Match Nadal/Federer.
Palma de Majorque.
2 mai 2007**

Devant quelque 6 800 spectateurs, la « bataille des surfaces » entre l'Espagnol Rafael Nadal et le Suisse Roger Federer a vu le premier s'imposer à l'issue d'un match spectaculaire : chaque moitié de court était recouverte de la surface de prédilection des joueurs.

❝ On se serait cru au cirque, avec ces deux surfaces, l'une avec du gazon et l'autre recouverte de terre battue. L'essentiel était de réussir à bien capter les différences entre les revêtements, le vert du gazon et le rouge de la terre battue. Le public était ravi de cette initiative. Ceux qui ont dû mettre en place ce court à toute vitesse, la nuit précédant le match, certainement moins. ❞
Jaime Reina-Alcocer

GP moto de Turquie.
21 avril 2007

Le champion du monde italien Valentino Rossi (Yamaha) se qualifie pour la pole position à l'issue des essais. Mais il ne terminera qu'à la 10e place de la compétition, remportée par l'Australien Casey Stoner (Ducati).

❝ Je n'aime pas la moto ! Et je n'y connais rien… Lorsque je suis arrivé à l'Istanbul Park, j'ai demandé conseil à mes confrères et à mon éditeur… Ils m'ont dit : « Prends cette position, photographie ce gars, c'est lui qu'il faut suivre… » Et voilà !
Je suis très content car il ne devrait plus y avoir de GP moto de Turquie. Les Turcs n'aiment pas la formule 1, ça ne les intéresse pas, sauf quand il y a des accidents. Les Turcs aiment le foot ! ❞

Mustapha Ozer

Tournoi de sumo.
Honolulu.
10 juin 2007

Le Grand Tournoi se déroulait dans la salle des fêtes de Honolulu, devant quelque 3 000 spectateurs.

❝ L'accréditation avait été très difficile à obtenir : nous avions du mal à communiquer avec les organisateurs japonais. Et l'événement était exceptionnel, car c'était la première visite de champions sumotoris à Hawaï, un paradis prisé par les touristes japonais. À l'ouverture du deuxième jour, des classes d'enfants hawaïens avaient été invitées et les gamins, âgés d'une dizaine d'années et habillés en sumo, devaient chacun leur tour essayer de renverser un athlète.
Est arrivé le tour de ce petit bonhomme tout mignon. Il avait complètement oublié les spectateurs, il riait et se retournait vers ses camarades de classe. Sa mission : essayer d'ébranler le champion, Wakanosato Shinobu.
La position des photographes était mal choisie, sur le côté. Je me suis déplacé tout doucement pour avoir un angle qui mette en valeur le contraste entre le gros sumo et le petit garçon. Le petit a commencé à pousser le gros, il poussait, il poussait, et finalement Wakanosato Shinobu a donné un coup minuscule à l'enfant qui est tombé sur les fesses.
Le gamin s'est mis à pleurer, il était très très vexé… Le gros sumo était désolé, il lui a mis la main sur l'épaule et l'a raccompagné vers son instituteur. C'était une scène adorable. ❞

Gabriel Bouys

**Éruption du piton de la Fournaise.
La Réunion.
5 avril 2007**

Vue aérienne du piton de la Fournaise en pleine activité,
lors d'une des plus spectaculaires éruptions récentes
du célèbre volcan de l'île de la Réunion.

" L'éruption durait depuis déjà quelques jours
et j'étais allé dans le sud de l'île pour prendre un
hélicoptère. Nous étions quatre à bord. Le pilote
ne voulait pas trop s'approcher : la chaleur déga-
gée par le volcan provoquait des perturbations qui
secouaient l'appareil.
C'était une fin d'après-midi. Il y avait peu de
lumière. Les énormes quantités de lave en fusion
se déversant dans l'eau de l'océan Indien faisaient se lever un immense panache de vapeur
blanche sur fond de torrents de feu rougeoyants.
Monumental !
Cela fait vingt-trois ans que j'habite à la Réunion
et j'ai connu beaucoup d'éruptions, mais elles sont
chaque fois différentes.
L'originalité de celle d'avril 2007 tient aussi en
la découverte d'espèces de faune sous-marine.
Les centaines de millions de mètres cubes de lave
déversés dans l'océan Indien ont provoqué la
remontée à la surface de poissons de grandes pro-
fondeurs, pour certains jusque-là inconnus de
la science. "

Richard Bouhet

**Tir de missile israélien.
Bande de Gaza.
25 mai 2007**

"C'était un vendredi. Il était environ 13 h 30. La radio locale a annoncé une frappe de F16 israélien contre des locaux de la Force exécutive du Hamas, dans le centre de la bande de Gaza. Je me suis immédiatement rendu sur les lieux. Une foule était déjà là, venue pour constater les dégâts. Les forces de sécurité interdisaient l'entrée du building, alors j'ai pris position sur une colline surplombant les lieux, qui me permettait d'embrasser toute la scène.

C'est à ce moment que les F16 sont réapparus et ont de nouveau piqué vers l'immeuble. J'ai vu un nuage de fumée blanche, les gens ont commencé à s'enfuir. Je continuais à prendre mes photos. J'ai alors entendu une énorme explosion, suivie d'un nouveau nuage de fumée, et les gens se sont mis à crier. J'ai abandonné l'objectif 60-200 pour passer en 16-35 mm.

Je n'avais pas réalisé que j'avais photographié un missile israélien dans le ciel. Ce n'est qu'en arrivant au bureau que je l'ai découvert : je regardais la série en parlant au téléphone avec un collègue, je l'ai repéré et j'ai crié : « Missile ! missile ! » J'ai immédiatement compris que je tenais quelque chose de très rare et d'important."

Mahmud Hams

Dès leur publication, et en raison de leur caractère exceptionnel, les photos de Mahmud ont été la cible d'attaques virulentes par des blogueurs qui ont remis en cause leur authenticité. Certains ont estimé qu'elles ne pouvaient qu'avoir été mises en scène. D'autres ont même accusé le photographe d'avoir inséré lui-même le missile avec photoshop. Accusations démenties par les récits du photographe et les témoins présents sur les lieux ce jour-là ; ce que démontre aussi l'analyse de l'image.
La photo est arrivée en finale du Pulitzer 2008.

Discours d'Hassan Nasrallah.
Beyrouth.
14 août 2007

C'était un an après le cessez-le-feu qui avait mis fin à la guerre entre l'État hébreu et le groupe chiite libanais.

" Surréaliste. C'est la photo la plus étrange de toute ma carrière. Le chef du Hezbollah, Hassan Nasrallah, sur un écran géant au sommet d'un immeuble. Les haut-parleurs qui hurlaient la retransmission de son discours. Et les gens aux balcons : certains écoutaient, d'autres profitaient juste de la soirée, d'autres encore regardaient le spectacle de la foule en bas dans la rue. J'ai assisté à de nombreux rassemblements politiques, mais c'est la première et la dernière fois que j'ai assisté à une telle scène.

Nous avions dû demander au Hezbollah l'autorisation de monter sur le toit de l'immeuble désaffecté qui se trouvait en face. Ils sont très stricts, ils nous ont accordé une dizaine de minutes pour travailler.

Dans la rue en bas, des milliers de personnes s'étaient rassemblées pour écouter Nasrallah clamer « l'anniversaire de la divine victoire » sur Israël. Nasrallah parlait depuis un lieu secret – menacé de mort par Israël, il ne fait quasiment jamais d'apparitions en public – et plusieurs écrans retransmettaient son discours, mais un seul avait été installé sur le toit. Peut-être pour lui donner encore plus d'importance, de puissance... En tout cas, on ne pouvait pas lui échapper, ce jour-là. "

Marwan Maarani

Benazir Bhutto.
Karachi. Pakistan.
21 octobre 2007

" Je ressentais la tristesse et la compassion qui imprégnaient cette scène tout en ne pouvant me défaire d'un sentiment de nervosité : cette femme était une cible, à tout moment. C'était la première apparition publique de Benazir Bhutto après le sanglant attentat qui avait marqué son retour au Pakistan. Un kamikaze s'était fait sauter au milieu de la foule : 139 morts. J'avais assisté au carnage.

Trois jours après, Benazir rencontrait des blessés ou des proches des victimes de l'attentat. C'est la fin d'une prière organisée dans une tente, dressée dans le jardin de sa résidence à Karachi. Une centaine de femmes dont les maris ou les enfants avaient péri dans l'attentat se pressaient sous la tente et pleuraient. Benazir compatissait et adressait ses condoléances à chacune. À l'extérieur de la tente, des centaines d'autres personnes tentaient d'apercevoir leur idole.

Cette femme, qui avait fui le Pakistan en 1999 pour échapper à des poursuites pour corruption, mobilisait des foules impressionnantes, comme je n'en avais jamais vu. J'avais ce sentiment qu'une autre attaque contre Benazir pouvait survenir à tout moment, et cette impression ne m'a jamais quitté lorsque je l'ai suivie en campagne à travers le pays. J'étais présent à son dernier meeting électoral à Rawalpindi, le 27 décembre 2007, deux mois après cette photo. Elle y a été tuée dans un attentat suicide. Je n'ai pas été surpris. "

Aamir Qureshi

**Nicolas Sarkozy en campagne.
Saintes-Maries-de-la-Mer.
20 avril 2007**

Nicolas Sarkozy, candidat à la présidentielle, visite une manade près des Saintes-Maries-de-la-Mer. Il reste deux jours avant le premier tour de l'élection. Une nuée de journalistes suit le candidat (qui sera élu le 6 mai).

❝ Nous étions deux photographes de l'AFP pour suivre la campagne de Nicolas Sarkozy. Le matin de la visite au ranch, deux bus emmènent les journalistes. Le mien arrive en retard et tous mes confrères sont déjà installés dans cette char-rette. On me dit : « Tu montes aussi, on ne veut personne à terre. » Thomas, l'autre photographe de l'AFP, est déjà dans la charrette, je décide donc de rester à terre. Je me cache un peu, je me mets discrètement à l'écart et j'attends.

Sarkozy arrive et se change, réapparaît en chemise à carreaux et jean, en tenue de cow-boy. Il est avec Nathalie Kosciusko-Morizet, alors députée de l'Essonne, et un homme de la sécurité. Les trois s'élancent à cheval, et la charrette, tirée par un tracteur, suit derrière.

L'image sera reprise davantage que celles où l'on ne voit que Sarkozy « seul » à cheval.

Elle illustre l'organisation parfaite de la communication par l'équipe Sarkozy. Ses conseillers char-gés de la presse sont d'ailleurs au premier plan dans la charrette. Ce moyen de locomotion devait aussi permettre aux journalistes de suivre Sarkozy dans le corral aux taureaux. Elle symbolise aussi le barnum médiatique ; mais à chaud, lorsqu'on vous dit de monter dans une charrette, on ne se rend pas compte, et puis c'est ça ou pas d'image. C'était une photo sympa. Je crois qu'elle a fait rire Sarkozy et son équipe. Nathalie Kosciusko-Morizet m'en a demandé une. En fait, pendant des jours, tout le monde rigolait. J'en ai envoyé un exemplaire à tous les confrères. ❞

Dominique Faget

**Nicolas Sarkozy.
Sur le perron de l'Élysée.
17 mai 2007, vers 14 heures**

❝ « Comment l'ai-je monté ? » semble s'interroger Nicolas Sarkozy.
La veille encore, je photographiais depuis les toits la passation de pouvoirs entre le président sortant Jacques Chirac et son successeur. Aujourd'hui, le tapis rouge a disparu, la cour du « château » s'est vidée de son assistance. François Fillon vient tout juste d'être nommé Premier ministre. Si bien que je guette les allées et venues d'éventuels membres pressentis pour former le futur gouvernement.
J'apprends alors que le nouvel hôte de l'Élysée et François Fillon sont partis faire un jogging. Je n'ai plus qu'à tuer le temps. D'ailleurs, voici une voiture officielle qui entre dans la cour. Sans doute une personnalité convoquée pour des discussions. Erreur ! C'est le président Sarkozy lui-même qui apparaît, alors que le garçon de vestibule de l'Élysée ouvre la portière.
En short et baskets, son portable à la main, il semble hésiter le temps d'une seconde sur la posture à prendre, fait un geste de la main (un salut ? le souhait de ne pas être photographié ?). Puis bondit sur le perron, gravit les marches deux à deux. Parvenu en haut de l'escalier, Nicolas Sarkozy se tourne vers nous, sourit avec un geste interrogatif… Comme s'il demandait : « Alors ? Je l'ai bien monté ? » ❞

Patrick Kovarik

**Rentrée universitaire
dans la province de Hubei.
Chine.
7 septembre 2007**

Chaque année – c'est une tradition vieille d'une quinzaine
d'années en Chine – les parents accompagnent leurs
enfants pour la rentrée universitaire et ceux qui n'ont pas
beaucoup d'argent doivent se contenter de logements
de fortune.

❝ Lors de la rentrée de 2007, le 7 septembre,
je suis monté sur le toit du gymnase d'un campus de Wuhan, dans la province de Hubei au
centre de la Chine, pour avoir une vue plongeante
des parents alignés en rangs serrés sur de minces
matelas posés à même le sol de l'enceinte spor-
tive. Je songeais au dévouement de ces parents
venus accompagner leurs enfants et aux sacri-
fices que nombre d'entre eux avaient dû consen-
tir pour les amener au seuil des études
universitaires avec l'espoir de leur offrir la chance
d'un meilleur avenir.
Au début, en raison du manque d'installations et
de chambres d'hôtel bon marché, les parents peu
fortunés devaient passer la nuit dehors.
Maintenant, avec l'aide de l'université, ils ont au
moins accès à un toit, à une literie sommaire et à
des toilettes. ❞

Zhu Chao

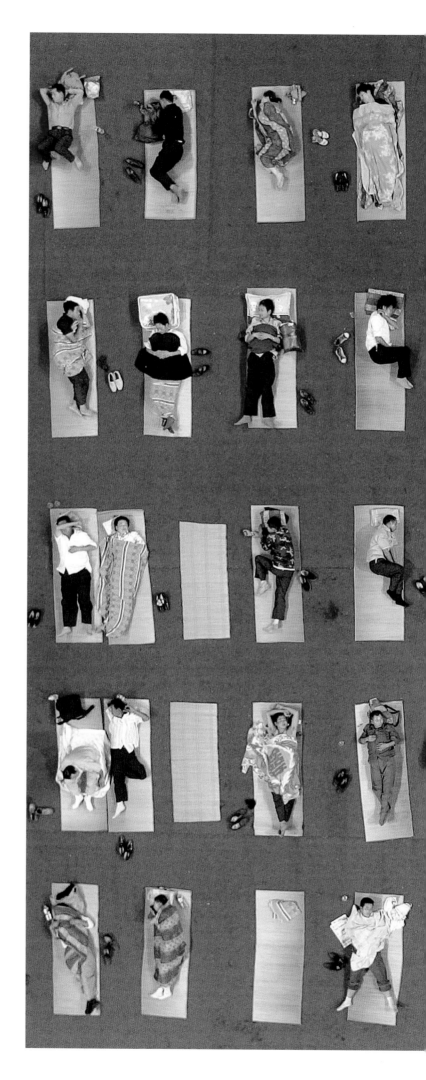

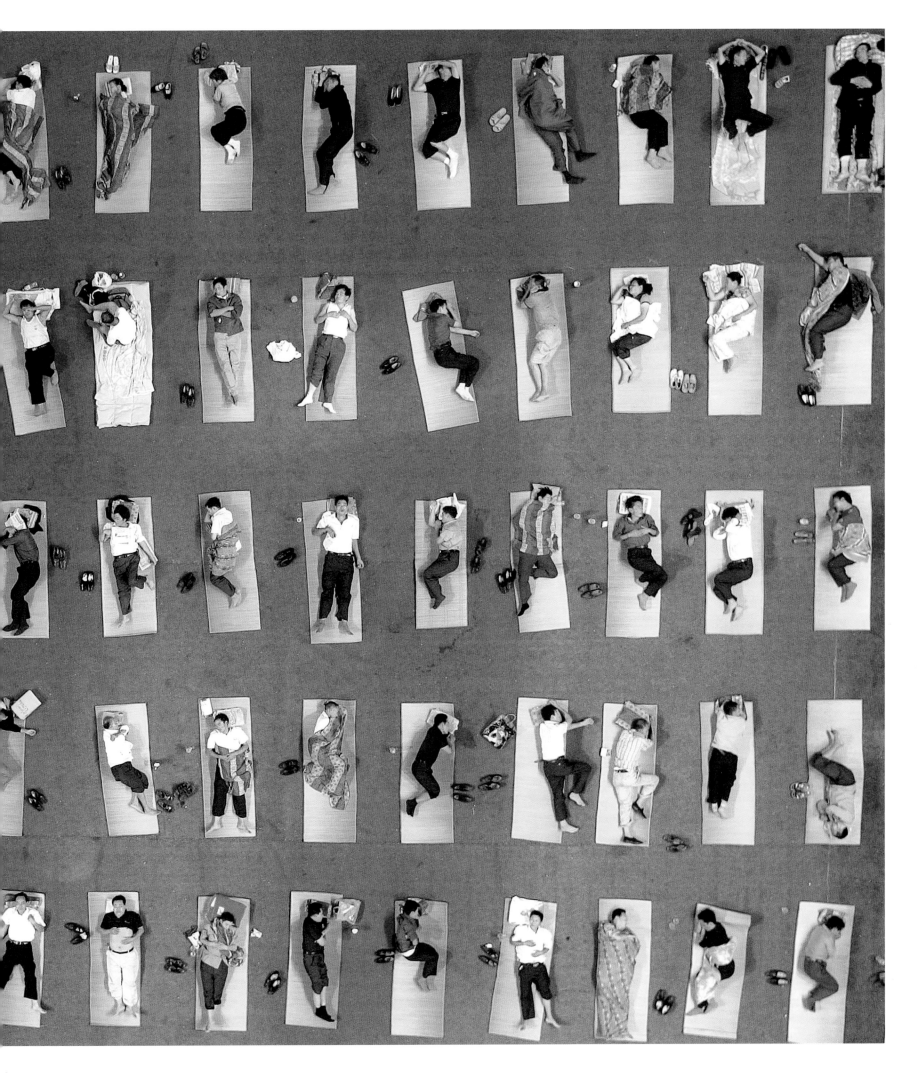

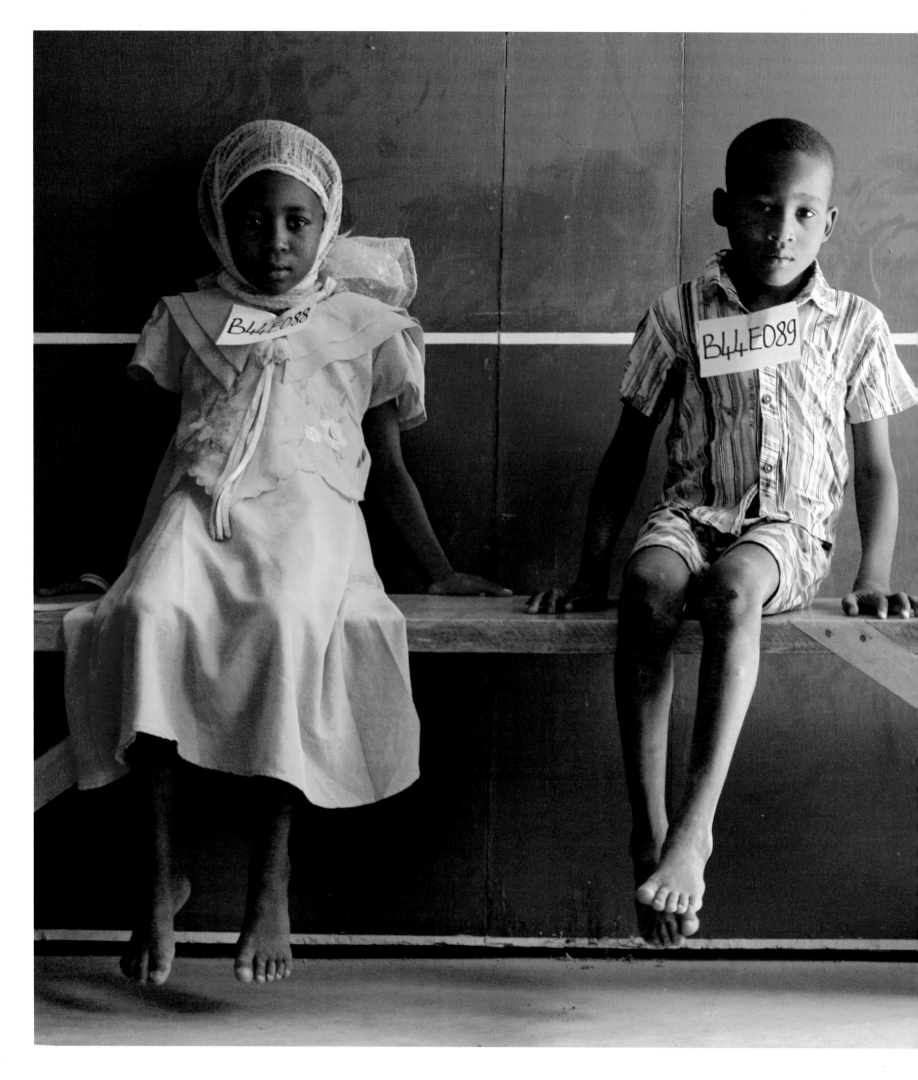

Enfants de l'Arche de Zoé.
Orphelinat d'Abéché. Tchad.
16 novembre 2007

Des enfants rescapés de la triste équipée de l'Arche de Zoé attendent d'être formellement identifiés pour être rendus à leurs familles. Trois semaines plus tôt, le 25 octobre, six membres de l'Arche de Zoé, une association humanitaire française, ont été arrêtés alors qu'ils s'apprêtaient à exfiltrer du Tchad vers la France 103 enfants présentés comme des orphelins du Darfour. L'enquête menée par des organisations internationales, dont l'Unicef et le HCR, établira que quasiment tous les enfants avaient une famille et étaient tchadiens.

66
Accéder à ces gamins a demandé du temps. L'affaire était fraîche, le sentiment antifrançais perceptible, et nous avons attendu plusieurs jours pour avoir l'autorisation de la justice tchadienne. Une fois sur place à Abéché, les responsables ne voulaient plus nous laisser voir les enfants.
J'avais remarqué un va-et-vient dans une des salles. Je suis entré. Il y avait là environ vingt-cinq enfants, très sages, et trois ou quatre adultes, de la Croix-Rouge et de l'administration tchadienne, qui menaient les procédures d'identification. Les enfants étaient pris en photo de face et de profil, puis interrogés. On leur avait collé cette espèce d'énorme post-it sur la poitrine. Le symbole était fort : ces enfants, on leur avait volé leur identité, leur famille, ils n'étaient plus que des numéros. Il faut reconnaître que c'était le désert là-bas, il n'y a pas d'état civil, les gamins habitent pour certains dans des camps de réfugiés… Il fallait bien une procédure, après les errements de l'Arche de Zoé. 99

Thomas Coex

Les Français de l'Arche de Zoé ont été condamnés à huit ans de travaux forcés au Tchad, avant d'être rapatriés en France pour y purger leur peine, puis graciés par la justice tchadienne. Ils restent mis en examen par la justice française.

2008

Émeutes dans un bidonville de Nairobi.
Kenya. 17 janvier 2008

Une crise de violence secouait le Kenya depuis l'élection présidentielle du 27 décembre 2007. Le président sortant Mwai Kibaki avait été déclaré vainqueur. Les partisans de son opposant Raila Odinga dénonçaient une fraude massive. Des émeutes ont éclaté dans le plus grand bidonville de Nairobi, Kibera, et dans les grandes villes de l'Ouest. Deux mois plus tard, le bilan officiel s'élevait à plus de 1 500 morts.

66 Le 17 janvier 2008, je m'étais rendu à Kibera, entré dans son deuxième jour d'émeutes. Dans ce fief de Raila Odinga, la colère grondait contre le président Mwai Kibaki.

La journée avait été longue. Un peu partout depuis 9 heures du matin, partisans d'Odinga et policiers s'affrontaient, jets de pierre d'un côté, gaz et tirs de balles en l'air de l'autre. Puis, vers 4 heures de l'après-midi, la police décida d'aller arrêter les partisans d'Odinga dans le bidonville même. En défonçant les portes à coups de pied, en balançant des bombes lacrymogènes à l'intérieur des taudis, au mépris des personnes – enfants, bébés, personnes âgées – qui s'y trouvaient. J'étais révulsé par la brutalité des policiers et tentais de saisir cette violence à travers mon objectif.

Comme je suivais une patrouille sur un pont, j'entendis les cris d'un enfant : « Baba, Baba ! » (« Papa, Papa ! »)

Je me précipitai vers l'endroit d'où provenaient ces cris. Sur le seuil de sa maison, un petit garçon terrifié hurlait, face au gourdin qui se dressait devant lui et qui paraît démesurément grand et menaçant sur la photo.

Quand les policiers furent partis, j'essayai de le calmer, mais il ne comprenait pas mes paroles. Finalement, il s'enferma chez lui.

Plus tard, regardant à nouveau cette photo, j'ai été saisi par l'expression de terreur du petit garçon. Elle me hanta deux jours et deux nuits.

Puis je suis retourné le voir. Il s'appelait Monday (Lundi), Monday Lawiland, il avait 7 ans. J'ai rencontré sa grand-mère. Elle était absente le jour de l'intrusion des policiers, occupée à faire des ménages. Elle m'apprit que Monday venait d'Ouganda où travaillait sa mère. Il était venu à Kibera pour les vacances. Comme je lui demandais où était son père, elle me répondit qu'il n'en avait pas. Ce fut un nouveau choc pour moi de penser à ce petit garçon qui, dans son désarroi extrême, appelait un père inexistant. La police avait défoncé la porte et Monday était seul. Désespérément seul. Face aux hommes menaçants. Face au gourdin. 99

Walter Astrada

Soulèvement des moines tibétains.
Xiahe. Chine.
14 mars 2008

Le 10 mars 2008, à quelques mois de l'ouverture des Jeux olympiques de Pékin, des manifestations pour célébrer le 49e anniversaire du soulèvement tibétain contre l'« occupation » chinoise dégénèrent en émeutes au Tibet et dans les régions voisines. Le mouvement durera dix jours et fera une vingtaine de morts selon Pékin, plusieurs centaines selon les Tibétains en exil.

« Nous sommes en Chine, à Xiahe, une ville qui abrite le monastère de Labrang, un des monastères bouddhistes tibétains les plus importants. C'est le début du soulèvement de mars 2008.

La région autonome du Tibet est généralement interdite d'accès aux journalistes occidentaux, sauf lors de voyages organisés par le gouvernement chinois. Et avec les émeutes, il n'y avait aucune chance de rallier Lhassa au Tibet. Je me suis donc rendu au monastère de Labrang.

En fin d'après-midi du 14 mars 2008, des centaines de moines manifestaient dans les rues de Xiahe. Ils ont été bloqués par une rangée de policiers et contraints de rentrer au monastère. Tous les accès à la ville ont été interdits, et je me suis retrouvé le seul photographe à Xiahe.

Par crainte de représailles policières, le directeur de l'hôtel où je logeais voulait que je parte. Mais il a accepté de me faire passer auprès des autorités pour un touriste cherchant à quitter la ville. Le monastère a été interdit aux touristes pendant six mois après cette manifestation. Je ne sais pas ce qu'il est advenu des moines. Je suis resté dans le coin pour couvrir la répression contre les autres monastères jusqu'à ce que le gouvernement recrute la population locale pour se débarrasser des quelques journalistes errants. Dès lors, impossible d'acheter un billet de bus ou d'embaucher un taxi ou une voiture privée pour se déplacer. »

Mark Ralston

Émeutes à Lhassa.
Tibet. Chine.
14 mars 2008

Les manifestations antichinoises au Tibet ont débuté
le 10 mars 2008 à Lhassa, jour anniversaire du soulèvement contre la tutelle de Pékin de mars 1959, avant
de prendre une tournure plus violente le 14 mars et de
s'étendre à d'autres régions de Chine où vivent des mino-
rités tibétaines.

" À ma connaissance, j'étais le seul photographe étranger à Lhassa ce 14 mars 2008. Les
émeutes étaient difficiles à prévoir. Le soulèvement a commencé dans la matinée et, l'après-
midi, le ciel était envahi par la fumée noire qui
s'échappait des magasins chinois mis à sac par
des Tibétains en colère.
L'atmosphère était lourde et une désagréable
odeur de plastique brûlé prenait les poumons…
Le soir venu, l'armée chinoise a mis en place un
cordon de sécurité autour de la ville et les premiers véhicules blindés ont fait leur apparition,
mais c'était déjà trop tard : Lhassa était en
flammes et ressemblait à une ville fantôme.
Quelques instants après avoir pris une photo d'un
soldat sur le point d'affronter des émeutiers, j'ai
été arrêté par la police secrète chinoise qui a
confisqué deux de mes cartes flash. J'ai été assi-
gné à résidence pendant deux jours à mon hôtel,
avant de devoir partir du pays. "

Rune Backs

Pékin a accusé le dalaï-lama, chef spirituel des Tibétains
en exil en Inde, de les avoir fomentées pour saboter les
Jeux olympiques de Pékin.
Plusieurs émeutiers ont depuis été condamnés à mort par
la justice chinoise.

**Manifestation contre l'importation
de bœuf américain.
Corée.
29 juin 2008**

En décembre 2003, la Corée du Sud a décrété un embargo
sur le bœuf américain après la découverte de cas d'en-
céphalite spongiforme bovine au Canada et dans l'État de
Washington. La décision de reprendre les importations,
prise en mai 2008, a déclenché une vague de mécon-
tentements dans le pays.

66
      J'ai pris cette photo le 29 juin 2008, plus
d'un mois après le début des manifestations
contre la reprise des importations de bœuf américain en Corée du Sud. J'avais une vie décalée :
je dormais le jour pour pouvoir suivre les émeutes
la nuit.
La colère populaire visait aussi les journalistes,
à qui les manifestants reprochaient de ne pas soutenir leur cause.
Je me suis placé dans un immeuble afin d'avoir
une vue d'ensemble de la scène. La pluie et le
manque de lumière rendaient la prise de vue com-
pliquée. J'ai utilisé un objectif de 300 mm. Pas
facile de rester immobile tout en se penchant par
une fenêtre ! 99

                                    Kim Jae Hwan

Cérémonie d'ouverture des JO de Pékin.
8 août 2008

Dans le « nid d'oiseau », le stade national construit pour l'occasion, devant 91 000 spectateurs dont 80 chefs d'État et de gouvernement. 14 000 danseurs évoluent dans une succession de tableaux exaltant 5 000 ans de civilisation chinoise.

66

Absolument grandiose. J'ai couvert sept Jeux olympiques, mais c'est de loin la cérémonie d'ouverture la plus impressionnante à laquelle j'aie assisté. Et pourtant, je ne suis pas un adepte des grands spectacles qui n'en finissent pas.
Il y avait 15 000 danseurs sur la pelouse du stade, pas un centimètre carré de sol libre. Je n'avais jamais vu une telle chorégraphie, c'était incroyablement, monstrueusement parfait.
Ils dansaient comme un seul homme, tout était réglé, huilé : je crois qu'ils ont atteint un summum. Imaginez les mois et les années de répétition qu'il y a derrière une telle chorégraphie. J'ai gardé les yeux et les oreilles grands ouverts pendant trois heures. 99

Olivier Morin

Usain Bolt.
Quart de finale du 100 mètres.
Jeux olympiques de Pékin.
15 août 2008

" En sport il y a des méga stars et Usain Bolt en est une. L'homme a des capacités hors du commun. J'ai remonté la piste et me suis placé de façon à avoir quelques-uns de ses concurrents dans le cadre.
Pour obtenir l'effet de flou, j'ai utilisé une vitesse d'exposition très lente. C'est une technique absolument éprouvante pour les nerfs dans ce genre de situation : Bolt court vite, très vite. Et dans une course pareille, tu n'as qu'une seule chance d'avoir « la » photo.
J'aime beaucoup cette façon qu'il a eue de tourner la tête dans ma direction et de gonfler ses joues. "

Adrian Dennis

Le lendemain, le Jamaïcain Usain Bolt était sacré champion olympique du 100 mètres, en battant le record du monde en 9 secondes 69.

L'homme à réaction.
Suisse.
14 mai 2008

" « Fusionman » avait invité la presse à assister à son show. C'était le 14 mai 2008, il présentait son invention, sa nouvelle aile à réaction. Une quarantaine de photographes et cameramen avaient été déposés en hélicoptère sur un col à plus de 2 000 mètres d'altitude au-dessus de Bex, dans les Alpes vaudoises.

J'avais déjà rencontré Yves Rossy à plusieurs reprises. C'est un pilote d'avion, un type adorable, hyper calme, complètement passionné mais très sérieux. Pas du tout un doux dingue ou un professeur Tournesol de l'aviation.

Son aile à réaction, d'une envergure d'environ 2 mètres, est munie de quatre petits réacteurs. Il la dirige avec les mouvements de ses pieds.

Un petit avion est apparu et a largué Rossy, harnaché à son aile. Il a allumé ses fusées.

C'était très impressionnant : ça va très vite, environ 300 km/h, et ça fait du bruit. Il fait plusieurs passages devant nous, on le voyait se diriger avec son corps, il a fait un looping. Ça a duré 6 à 7 minutes, pas plus. Il ne pouvait pas voler plus longtemps en raison de la petite taille du réservoir de kérosène. Il a ensuite ouvert son parachute pour aller se poser dans la vallée."

Fabrice Coffrini

Le 26 septembre 2008, Yves Rossy a franchi la Manche avec son aile. Mais en novembre 2009, il a échoué à rallier l'Afrique et l'Europe en survolant l'Atlantique.

Quentin Tarantino à Cannes.
28 mai 2008

Le réalisateur américain Quentin Tarantino, Palme d'or avec *Pulp Fiction* en 1994, a donné en 2008 à Cannes une « leçon de cinéma ». Amateur boulimique de westerns, de films noirs, de mélos, de fantastique, mais aussi de BD et d'arts martiaux, maître de la parodie et du second degré, il avait présidé le jury du Festival en 2004.

❝ Avant sa « leçon de cinéma », durant laquelle il allait présenter sa vision du septième art, Quentin Tarantino passe par l'étape du « photo-call » devant une nuée d'objectifs. Une petite dizaine de photographes est autorisée à se positionner quelques instants derrière lui pour faire des images d'un angle différent. Il était très joueur. Il a une manière de poser généreuse, rapide et imprévisible. ❞

Anne Christine Poujoulat

Jérôme Kerviel. Paris.
10 juin 2008

Le 24 janvier 2008, la Société générale, une des trois premières banques françaises, annonce la perte de plus de 5 milliards d'euros, due à des prises de position non autorisées sur les marchés. Jérôme Kerviel, 33 ans, est le trader soupçonné d'être à l'origine de cette perte historique.

66 Rond-point de la porte Maillot. Le lieu est un peu étrange, c'est un square calme, posé au milieu du vacarme des voitures qui tournent sans cesse sur ce carrefour immense. C'est là que doit avoir lieu ma deuxième entrevue avec Jérôme Kerviel. La première rencontre, chez son avocate, avait eu lieu en février. À sa demande : Kerviel était exaspéré de voir tourner dans la presse la photo peu flatteuse de son badge professionnel, et voulait rectifier le tir. J'avais alors réalisé les premières photos du trader à l'origine d'une des plus grosses pertes de l'histoire bancaire. Toute la presse internationale le traquait depuis des semaines.
J'arrive pour ce deuxième rendez-vous un peu plus détendu, puisque « je connais » Kerviel. Pour autant, je n'ai aucune idée des photos que je vais faire avec lui dans ce parc surréaliste. Le trader arrive. Après des retrouvailles gênées, je réalise avec lui quelques photos maladroites où, l'air faussement naturel, il lit *L'Équipe* en costume sombre, assis contre un arbre.
Cela ne me plaît pas, mais rien de mieux ne m'est venu à l'esprit durant ces cinq minutes passées avec lui. Je laisse la place au cameraman de l'AFP. Alors que Kerviel se laisse filmer par mon collègue, je tourne à la recherche d'une idée lumineuse. C'est alors que je découvre le tunnel sous la chaussée, reliant le centre du rond-point à l'extérieur. Sale, mal éclairé. Glauque. J'ai trouvé mon cadre rêvé. Quelques années auparavant, je garais tous les soirs ma moto au dernier niveau d'un parking où des voitures luxueuses dormaient sous une rampe de néons et dans une odeur d'urine. J'aimais cette ambiance et je m'étais toujours dit qu'il y avait une photo à faire dans ce décor, un portrait.
Ce tunnel, c'est mon parking, quatre ans après. Mais Kerviel ? Il ne voudra jamais. « Monsieur, accepteriez-vous de faire une autre photo là-bas ? – Oui, bien sûr. »
Hauteur, largeur, un peu décadré vers le plafond, le contre-jour est équilibré par la lumière du jour qui vient dans mon dos. 30 secondes. « Parfait, je crois que j'ai ce qu'il me faut. Merci, monsieur. » C'est une des rares photos que je regarde aujourd'hui en me disant que je ne la ferais pas différemment. 99

Martin Bureau

Soldats américains.
Irak.
13 mars 2008

" Les soldats étaient exténués. Ils étaient éveillés depuis près de trente-six heures après un assaut aérien nocturne sur la province de Diyala, une zone au nord de Bagdad, densément peuplée, qui était le témoin des pires actes de violence sectaire en Irak.

Ils ont sauté d'un hélicoptère Chinook en pleine nuit puis ils ont traversé des marécages, de la boue et des zones humides avant d'atteindre un village où ils ont occupé une maison et établi leur avant-poste. Après s'être reposés et avoir mangé, ils ont commencé à aller de maison en maison à la recherche d'insurgés et d'informations sur les violences.

La guerre était en train de changer de tournure mais, sur le terrain, elle ressemblait toujours à une guérilla sauvage avec des affrontements armés dans des allées sinistres. Je n'oublierai pas ces instants passés avec eux. "

David Furst

Le même jour, le corps sans vie de l'archevêque chaldéen de Mossoul, Faraj Rahou, était découvert, près de deux semaines après son enlèvement par des inconnus, et un attentat faisait 18 morts à Bagdad.

Lancer de chaussure sur G.W. Bush.
Bagdad.
14 décembre 2008

Le président américain George W. Bush est en visite surprise à Bagdad, pour un voyage d'adieu aux dirigeants irakiens, à cinq semaines de son départ de la Maison Blanche. Une conférence de presse commune avec le Premier ministre irakien Nouri Al-Maliki est donnée dans la Zone verte de Bagdad.

" Assis par terre entre les journalistes et les deux pupitres, je travaillais comme dans n'importe quelle autre conférence de presse, jusqu'à ce que je voie Bush esquiver quelque chose qui volait dans les airs dans sa direction. Une fois. Deux fois. Bush se baisse, Al-Maliki esquisse un geste, comme pour intercepter l'objet volant. Je n'avais strictement aucune idée de ce qui se passait, je continuais à photographier.
Court flottement dans la salle.
Je me suis retourné et j'ai vu les agents de sécurité en train de maîtriser un homme et de le plaquer à terre. Quand le calme est revenu, Bush a plaisanté : « Tout ce que je peux vous dire, c'est que c'est une taille 10. »
C'est seulement à ce moment-là que j'ai compris que l'homme avait jeté ses chaussures à la tête du président. La conférence de presse s'est poursuivie dans une ambiance un peu survoltée.
Après, cela a été la précipitation, il fallait transmettre les photos le plus vite possible avant de repartir. Six heures plus tard nous atterrissions à Kaboul pour un autre voyage d'adieu aux dirigeants afghans et aux troupes américaines. Mais cette fois-ci, la visite a été aussi calme et plate que peut l'être une visite en zone de guerre. "

Saul Loeb

« C'est le baiser de l'adieu, espèce de chien ! » avait hurlé le journaliste irakien Mountazer Al-Zaïdi en balançant ses chaussures à la tête du président américain. « Vous êtes responsable de la mort de milliers d'Irakiens ! » Le lanceur de chaussures, souvent considéré comme un héros dans le monde arabe, a été condamné à un an de prison pour « agression contre un chef d'État en visite officielle » et libéré en septembre 2009 au bout de neuf mois pour bonne conduite. Affirmant avoir été torturé au début de sa détention, il vit aujourd'hui en exil et a créé une fondation humanitaire en Suisse pour venir en aide aux Irakiens.
Dans la culture arabe, jeter ses chaussures à la tête de quelqu'un et le traiter de « chien » est l'insulte suprême.

Mort d'un journaliste palestinien.
Gaza.
16 avril 2008

Juste après l'explosion de l'obus, tiré par un char israélien posté à quelques centaines de mètres. Mohammed Abed vient d'arriver pour couvrir une incursion israélienne dans la zone de Bureij, dans le centre de la bande de Gaza. Il entend l'explosion, se dirige vers les lieux et découvre d'abord l'enfant blessé au vélo renversé, ainsi que deux autres Palestiniens à terre. Puis il aperçoit la voiture de Reuters en train de brûler, et le corps du cameraman de l'agence britannique, Fadel Shanaa, 23 ans. Le tir d'obus a fait trois morts.

" D'abord je ne le reconnais pas. Je m'approche en photographiant, je marche et je photographie dans le même mouvement, je ne regarde pas avec mes yeux. Et puis je vois la voiture, les lettres TV sur le capot. « Que se passe-t-il ? » Ensuite je remarque le corps par terre, je prends une, deux, trois photos, et tout à coup je vois. Oh mon Dieu, mais c'est Fadel, c'est mon ami.
J'ai lâché mon appareil, j'ai crié. L'ambulance est arrivée mais il était mort.
À l'hôpital, je n'ai pas pris de photos. Ni le lendemain pour l'enterrement, ni pendant une semaine.
Nous travaillions ensemble, c'était mon ami. Il était originaire de Khan Younès. "

Mohammed Abed

Les dernières images prises par Fadel Shanaa montrent le char quelques secondes avant qu'il n'ouvre le feu, puis la boule de fumée provoquée par le tir. Ensuite, la bande devient noire.

L'armée israélienne présente dans la soirée ses regrets pour la mort du journaliste palestinien, mais ses collègues et les organisations de défense de la presse réclament une enquête. Ils font valoir que la voiture était visiblement siglée TV, que le journaliste portait un gilet pare-balles avec l'inscription Press en lettres réfléchissantes, et qu'il n'y avait pas d'activité armée dans la zone à ce moment.

Quatre mois plus tard, l'armée israélienne dédouane ses soldats de toute responsabilité, estimant qu'ils ont ouvert le feu de manière « légitime », et que rien ne leur permettait d'identifier comme une caméra ce qu'ils soupçonnaient être une arme.

Retrait des troupes russes de Géorgie.
23 août 2008

Près du tunnel de Roki. Des troupes russes se retirent de Géorgie, en vertu d'un accord de cessez-le-feu qui a mis fin à la guerre russo-géorgienne. Les combats ont duré du 7 au 12 août et se sont soldés par l'indépendance auto-proclamée de deux régions séparatistes géorgiennes – l'Abkhazie et l'Ossétie du Sud –, soutenues par Moscou, qui a renforcé sa tutelle sur ces territoires.

« Je me souviens… Les soldats étaient plutôt souriants, il faisait très chaud et les chars faisaient un bruit énorme sous ce tunnel. Ils soulevaient des tourbillons de poussière. On ne les voit pas sur la photo, mais il y avait aussi des vaches. Elles étaient venues chercher un peu d'ombre et se sont retrouvées à regarder passer des chars russes.

Je me souviens… j'étais vraiment, vraiment fatigué ce jour-là. J'avais couvert tout le conflit depuis le début, et depuis quelques jours les éditeurs à Paris et à Moscou me réclamaient des images du retrait des troupes russes de Géorgie. Rien ne se passait, mais il fallait que je trouve quelque chose. J'ai pensé à ce tunnel de Roki qui marque la frontière dans la montagne entre la république géor-gienne d'Ossétie du Sud et la Russie. J'y suis allé deux ou trois jours de suite, j'ai attendu des heures. Rien.

Je me souviens… ce 23 août, je m'étais installé dans un tunnel pas très loin de celui de Roki, et les colonnes sont arrivées. Les Russes passaient devant moi, sans discontinuer. Ils rentraient chez eux. Cette colonne de chars était la dernière. Il était à peu près 17 heures, j'avais déjà transmis des dizaines de photos de véhicules de toutes sortes.

Et je me souviens… de m'être posé la question : « Dois-je aussi envoyer celle-ci ? » J'avais du mal à me décider, je n'arrivais pas à prendre la mesure de l'importance de l'image. Je l'ai transmise. »

Dmitry Kostyukov

Page de gauche,
photo **Viktor Drachev**

Obama à la Convention démocrate.
Denver. États-Unis.
28 août 2008

La dernière soirée de la Convention démocrate en vue de l'élection présidentielle américaine se tenait à Invesco Fields, le gigantesque stade de football en plein air de Denver, dans le Colorado. Barack Obama s'apprêtait à prononcer son discours d'acceptation en tant que premier candidat afro-américain jamais désigné par un grand parti pour occuper la fonction suprême aux États-Unis.

" Les trois journées de Convention s'étaient déroulées dans une enceinte plus modeste. Mais là, pour la clôture d'une campagne qui avait duré presque deux ans et dont c'était en quelque sorte l'apothéose, tout se démultipliait.

Sous un brûlant soleil d'été, plus de 70 000 personnes s'étaient pressées en files ininterrompues vers les gradins, manifestement heureuses de participer à cette étape finale. Il régnait là une atmosphère de kermesse et d'excitation, à la mesure d'un événement historique.

En tant que photographe, j'avais une place assignée sur une plate-forme surplombant l'arrière de l'estrade d'où Barack Obama devait s'exprimer. J'allais donc le voir de dos, mais avec dans mon champ visuel la foule immense d'Invesco Fields. C'était une vue panoramique spectaculaire de tous les délégués démocrates et de dizaines de milliers de personnes ordinaires. Je pouvais obtenir un très grand angle avec un objectif dirigé vers l'estrade centrale, tout en disposant également de deux autres appareils.

À l'arrivée d'Obama, les hurlements furent assourdissants. On se serait cru à la finale d'un événement sportif. Et là, l'homme de dos, son ombre portée au sol, debout seul face à ces 70 000 personnes, prenait une dimension saisissante. **"**

Stan Honda

**Premier discours du président Obama.
Chicago.
4 novembre 2008**

Le 4 novembre 2008, le sénateur démocrate de l'Illinois Barack Obama est élu président des États-Unis, et devient le premier Noir à accéder à la fonction suprême dans ce pays.

« Je voulais en être. J'ai été envoyé à Chicago, le fief du candidat démocrate noir, et j'étais heureux parce que l'histoire se jouait là-bas : c'était la nuit électorale.
Tôt le matin, j'ai photographié Barack Obama en train de voter, puis j'ai travaillé toute la journée… mais tout le monde attendait le soir, le moment où il viendrait s'exprimer devant ses partisans, où il prononcerait son premier discours de président élu, plus grand monde n'en doutait. Lorsqu'il est arrivé sur la scène, entouré de sa famille, une immense clameur s'est élevée dans le Grant Park de Chicago, où des dizaines de milliers de personnes s'étaient rassemblées. Les gens s'étreignaient, pleuraient. Je n'avais jamais été témoin d'une émotion aussi intense.
Cette photo d'Obama à Chicago achevant son discours et saluant ses partisans sera utilisée par la poste américaine pour commémorer l'événement. »

Jewel Samad

**Devant un monument du musée
de la Seconde Guerre mondiale.
Kiev.
8 mai 2008**

« Cette fille en rouge, ce monument gris dans le plus pur style soviétique, c'est presque trop beau pour être vrai… C'est une photo posée ? Non. C'est une scène authentique. Je ne fais jamais de photo posée. La vie autour de nous est bien plus intéressante que nos fantasmes, en tout cas que les miens. J'aime faire ce genre d'images, prendre du temps pour marcher des kilomètres à travers la ville. Parfois, j'ai de la chance. Comme ce jour-là.

Je me promenais autour du musée de la Seconde Guerre mondiale à Kiev, à la recherche de sujets, la veille de la commémoration du jour de la Victoire. En général, beaucoup de gens viennent visiter le musée à cette époque. J'ai vu deux filles qui se prenaient l'une après l'autre en photo devant le monument. L'une d'elles a attiré mon attention en raison de sa tenue rouge. Comme j'étais encore loin de la scène, j'ai couru vers elles, mais elles avaient déjà fini et s'en allaient. J'ai juste eu le temps de saisir le moment où la fille en rouge rajustait son manteau.

Qui étaient ces filles ?

Je ne leur ai pas parlé ni demandé quoi que ce soit. Je ne sais pas, mais elles avaient l'air de touristes qui visitent cet endroit pour la première fois. »

Sergey Supinski

Combats entre Masai et Kalendjin.
Kenya.
1er mars 2008

Les combats traditionnels entre Masai et Kalendjin dans la région du Trans Mara ont fait 20 morts dans les deux premiers mois de 2008.

Liées à des conflits fonciers et politiques, ces joutes avaient repris après les élections générales contestées de décembre 2007, suivies de violences à travers le pays qui ont fait plus de 1 000 morts en l'espace de deux mois.

Les Masai, éleveurs semi-nomades, sont environ 500 000 au Kenya.

66 Les flèches volaient et criblaient le sol autour de moi. Elles s'abattaient sans le moindre bruit d'avertissement, en silence, tout près de l'arbre derrière lequel je m'étais réfugié pour prendre les photos. C'était une scène incroyable. Un ami masai m'avait parlé plusieurs mois auparavant de ces combats traditionnels, et m'avait introduit auprès des guerriers qui ont accepté que je les photographie. Ce jour-là, les archers affrontaient des rivaux de la communauté kalenjin sur la colline de Kapuno, dans le district du Tans Mara, à l'ouest du Kenya.

Ce sont des affrontements sans merci, mais extrêmement bien organisés et codifiés, dans les mouvements, les cris, les étapes… Cela a duré une demi-heure, et la lutte a pris fin au coucher du soleil. Nous avons transporté trois guerriers masai à l'hôpital.

Suite à cette expérience, j'ai continué à travailler avec eux. Ça n'a pas toujours été simple, notamment avec les anciens qui reprochent aux photographes étrangers de prendre leur image et de ne jamais la leur restituer. J'ai donc promis que je reviendrais avec les photos, et je les ai convaincus que ces images pourraient servir à promouvoir leur culture.

Nous avons commencé à réfléchir à un projet de musée masai. Je suis chargé de les aider à lever des fonds. 99

Yasuyoshi Chiba

Migration des gnous.
Afrique de l'Est.
Août 2008

C'est la plus grande migration de mammifères au monde. Des troupeaux de dizaines de milliers de gnous déferlent, chaque année, des plaines du Serengeti, en Tanzanie, au sud, vers la réserve du Masai Mara, au Kenya. Leur quête de frais pâturages et d'eau se déploie sur près de 2 500 kilomètres, en un gigantesque mouvement circulaire dans le sens des aiguilles d'une montre. Partant du sud-est, en janvier ou février, les hordes d'herbivores se dirigent vers le lac Victoria, à l'ouest, puis obliquent vers le nord, au Kenya. Vers le mois d'août, ils repartent vers les plaines du Serengeti, en passant à l'est.

❝ Souvent, il leur faut franchir des rivières. Mais il est impossible de savoir à quel moment exactement débouleront les énormes troupeaux. Tout est une question de patience et de chance. Je m'étais posté à la mi-août 2008 avec les Rangers des parcs nationaux du Kenya, près d'un de leurs points habituels de franchissement sur le fleuve Masai. Plus tôt, nous avions abandonné une position, après des heures de vaine attente et pas le moindre gnou à l'horizon.

La fin de l'après-midi approchait et je m'apprêtais à regagner mon bungalow. Le soleil déclinait rapidement à l'horizon, rasant les collines qui surplombaient la rivière.

C'est alors que nous les avons vus, se dirigeant vers la rive du fleuve. Allaient-ils le traverser ? À tout hasard, nous avons garé le véhicule tout terrain sur l'autre rive et nous sommes descendus. Juste à temps… Après un court moment d'indécision, le troupeau dévalait la pente de la colline dans un grondement de tonnerre et un nuage de poussière, et se jetait dans les eaux infestées de larges crocodiles. Plusieurs furent attrapés, tirés vers le fond, mais la plupart réussirent à se frayer un chemin jusqu'à l'autre rive, vers les herbes hautes.

C'était la première fois que je tentais d'assister à l'une de ces migrations saisonnières spectaculaires. J'étais servi au-delà de mes espérances, avec cette lumière du jour tombant. Spectacle impressionnant que cette lutte pour la survie, quasi préhistorique. ❞

Roberto Schmidt

**Camp de déplacés de Kibati.
République démocratique du Congo.
7 décembre 2008**

La guerre civile déchire de nouveau l'est de la République démocratique du Congo où les combats ont repris quatre mois auparavant. Le camp de déplacés de Kibati, à proximité de Goma, marquant la ligne de front entre rebelles et forces régulières, abrite quelque 67 000 personnes.

66

Les camps de réfugiés, ou de déplacés, c'est malheureusement toujours un peu pareil : pas de nourriture, pas d'eau, de la crasse, des gens totalement dépendants de l'aide humanitaire…

Paradoxalement, l'image peut être difficile à trouver dans un camp ; il s'y passe tellement de choses que tu as du mal à saisir l'événement, le personnage, l'histoire. J'allais régulièrement à Kibati. Je me promenais, j'observais, sans prendre forcément de photos.
J'ai vu ce gamin avec son maillot de foot et ses jerricans d'eau sur sa petite luge. Au départ, lui ne m'a pas vu. Quand je me suis rapproché, il était un peu effrayé, gêné, alors j'ai arrêté.
Je ne sais pas comment il s'appelait… je n'ai pas pu lui parler. 99

Pascal Guyot

**Convoi de déplacés.
République démocratique du Congo.
2 novembre 2008**

❝ J'étais sur la route lorsque la pluie a commencé à tomber, très fort. Les gens marchaient sous cette pluie, ils marchaient comme s'il ne pleuvait pas, personne ne cherchait à s'abriter. Je me suis assis et j'ai commencé à photographier. Chaque fois que je m'étais trouvé face à des personnes déplacées, on m'avait demandé de l'argent ou de la nourriture. Ce qui était frappant ce jour-là, c'est que personne ne parlait. Ils ne faisaient que marcher. Mais tous avaient le même visage : fermé, rempli de colère. L'expression du visage de l'homme sur la photo. Une colère silencieuse et impressionnante.

L'image a été prise le 2 novembre 2008 au nord de Goma, la capitale de la province du Nord-Kivu, dans l'est de la République démocratique du Congo.

Chassés par les combats qui faisaient rage depuis plusieurs mois entre les forces armées gouvernementales et les rebelles du chef tutsi congolais Laurent Nkunda, des dizaines de milliers de déplacés commençaient à rentrer dans leurs villages au nord de Goma, à la faveur d'un cessez-le-feu. ❞

Yasuyoshi Chiba

Les combats entre les rebelles de Nkunda, que Kinshasa accusait d'être soutenu par le pouvoir rwandais, et les forces armées gouvernementales ont fait plus d'un million de déplacés dans la région, déchirée par la guerre et en proie à une instabilité chronique.

2009

Tempête de sable.
Sydney.
23 septembre 2009

Ce matin-là, Sydney, la ville la plus peuplée d'Australie, est recouverte de millions de tonnes de sable, enveloppée dans un étrange voile orange.

"

   La plus importante tempête depuis près de soixante-dix ans s'est abattue sur l'est de l'Australie. Sables et poussières provenant du désert intérieur du pays, emportés par des vents violents, étendent leur voile sur près de 600 kilomètres. Lorsque je me réveille ce jour-là, je suis immédiatement frappé par l'incroyable couleur du ciel, et par l'étrange atmosphère qui émane de cette ville noyée dans un brouillard orange. On pourrait se croire sur une autre planète.
Dans les rues, tous les immeubles, toutes les voitures sont recouverts de poussière et de sable. Les avions ont été déroutés sur d'autres villes, le trafic maritime interrompu, les chantiers de construction fermés.
La visibilité ne dépasse pas deux à trois mètres dans certains endroits. Il est très difficile de respirer, et après quelques minutes de marche les vêtements et les chaussures sont rapidement recouverts d'une épaisse couche de poussière.
Mais en dépit des avertissements des autorités, il y a presque autant de monde que d'habitude dans les rues. Les gens se sont protégés avec des masques ou des foulards sur le visage, et j'ai le sentiment que personne ne veut manquer ce spectacle exceptionnel.
Avec le lever du soleil, la lumière change rapidement et passe de rougeâtre à jaune orangé. Je trouve un point de vue sur le célèbre Harbour Bridge, le pont le plus large du monde, qui est aussi le principal point de traversée de la baie de Sydney. Il est 8 h 36. "

Greg Wood

Temporada de Medellín.
Colombie.
24 janvier 2009

" Généralement, les photos de corrida se prennent depuis le sol. Mais, ce jour-là, je m'étais installé sur les plus hauts gradins de la Plaza de Toros de Medellín. Quand le matador Antonio Barrera est arrivé, je ne l'ai pas quitté de l'objectif une seule seconde ; c'est la règle avec les photos de corrida, tu ne baisses jamais l'appareil parce qu'il peut se passer quelque chose à tout moment. J'étais prêt quand le taureau a soulevé Antonio dans les airs.
C'était un moment assez dur, les aficionados criaient… Mais le matador s'est relevé. Il n'était pas gravement blessé. Et avec beaucoup de courage, il a continué à toréer. "

Raul Arboleda

Hommage à Michael Jackson.
Mexico.
29 août 2009

Mexico rend hommage à Michael Jackson, mort deux mois auparavant le 25 juin. Des dizaines de milliers de personnes se sont rassemblées dans les rues de la capitale pour l'événement « Yo sí bailo Thriller ». Près de 13 000 d'entre elles dansent ensemble sur « Thriller », le succès historique de Michael Jackson en 1982, et battent le record mondial du Guinness Book. C'est Hector Jackson, un jeune Mexicain fan absolu de la star américaine, qui mène la chorégraphie.

"

Nous étions 50 photographes, alignés en rang d'oignons, face à la foule, et ce gars, qui est le Michael Jackson le plus célèbre du Mexique, a commencé à danser. La chose amusante, c'est qu'il s'est planté juste devant moi et a ouvert les bras. Juste devant moi !
Je ne suis absolument pas un fan de Michael Jackson, ce n'est ni le genre de musique ni le type de personnalité qui m'intéresse. Mais il y avait une ambiance extraordinaire dans les rues de Mexico et j'ai compris ce jour-là ce qu'il représentait. Voir 13 000 personnes danser en même temps, des gamins de 10 ans comme des vieux de 65 ans, avec un sérieux et un enthousiasme pareils, ça force la sympathie et le respect. Il pleuvait, mais les gens dansaient malgré tout... Waow... Je réalisais que Michael Jackson était une icône. "

Omar Torres

**Bernard Madoff. New York.
14 janvier 2009**

❝ Bernard Madoff, responsable de la plus grosse escroquerie de l'histoire de Wall Street, sortait de la Cour fédérale. Un mois plus tôt personne ou presque ne le connaissait et maintenant toute la presse mondiale courait derrière cet escroc planétaire, auteur d'une fraude de dizaines de milliards de dollars.
Nous campions littéralement devant son luxueux immeuble et devant le tribunal. Je me souviens que ce jour-là, il portait un gilet pare-balles sous son imperméable. C'était je crois sa seconde apparition devant la Cour. La police lui frayait un chemin pour qu'il puisse sortir de voiture et entrer très rapidement dans le tribunal. En général les pho-

tos n'étaient pas très bonnes car ça allait très vite. Après, il fallait attendre parfois toute la journée et, à sa sortie aussi, il était entouré par un tas de policiers, si bien qu'il était difficile d'obtenir une bonne image. Là, j'ai réussi à bien le cadrer.
C'était comme une sorte de figure mythique, un peu irréelle. On le voyait entrer puis sortir, et ensuite il disparaissait. Je n'ai même jamais entendu le son de sa voix. Il avait toujours l'air assez content de lui, aucun signe de remords, comme si tout ça n'était qu'une vaste plaisanterie. Mais ce jour-là, à sa sortie du tribunal, devant la meute des photographes attendant pour le mitrailler, on a l'impression qu'il réalise soudain ce qui l'attend. ❞

Tim Clary

Bernie Madoff sera condamné en juin 2009 à cent cinquante ans de prison.

**Letizia d'Espagne et Carla Bruni-Sarkozy.
Madrid. 27 avril 2009**

Visite d'État à Madrid du couple présidentiel français.

❝ Lorsque Letizia d'Espagne et Carla Bruni-Sarkozy montent des marches, même sans tapis rouge, leur élégante grâce longiligne alliée au contraste des couleurs charme la caméra.
La presse espagnole publia cette photo – que j'avais cadrée plus serré que certains de mes confrères – et donna un large écho aux réactions passionnées et contradictoires de ses lecteurs. Pour certains, peut-être puritains, elle était irrespectueuse, mais pour les autres c'était un reflet artistique de la beauté des deux femmes. ❞

Éric Feferberg

**Angelina Jolie et Brad Pitt
au festival de Cannes.
20 mai 2009**

Le couple star d'Hollywood, main dans la main et sous les cris de milliers de fans, monte les marches du palais des Festivals à Cannes, avant la projection officielle d'*Inglourious Basterds*, du réalisateur américain Quentin Tarantino.

❝ La montée des marches… Des starlettes plus ou moins connues posent au milieu d'inconnus habillés pour l'occasion en smoking. Les flashes crépitent dans le brouhaha des photographes qui espèrent obtenir un regard, sur fond de musique assourdissante. Le calme vient enfin lorsque l'équipe du film en compétition arrive au début du tapis rouge. La musique s'arrête, puis reprend en même temps que les flashes. Scénario immuable. Il en fut de même pour Brad Pitt et Angelina Jolie.

Du balcon où je suis installé, je vois arriver leur voiture. Alors que tout le monde se plaint du peu de stars présentes lors de cette édition 2009 du festival de Cannes, la montée des marches de ce couple constitue un moment phare. Ils signent quelques autographes et s'élancent sur la piste, dans un mouvement lent, éclairé par le scintillement des flashs. Vu d'en haut, le moment semble calme, hors du temps. Ils terminent leur déambulation en haut des marches où, très naturellement, ils se retournent une dernière fois. Encore quelques photos puis ils disparaissent dans le palais des Festivals. C'est fini pour ce soir. ❞

Martin Bureau

**Fête du nouvel an persan à Kaboul.
Afghanistan.
21 mars 2009**

Les Afghans fêtent le nouvel an persan, Nawroz (« le jour nouveau »), qui coïncide avec l'équinoxe de printemps. Les troupes de la coalition internationale sont dans le pays depuis plus de sept ans, les attaques des insurgés sont quotidiennes. Quatre attentats font encore onze morts dans le pays ce jour-là. Mais pour la cérémonie, Pachtounes, Tadjiks, Hazaras ou Ouzbeks oublient quelques heures leurs différends dans l'espoir d'une paix retrouvée.

❝

Depuis la colline, les gens regardent des religieux élever un immense drapeau islamique vert sur la mosquée Sakhi de Kaboul. La tradition dit que si le drapeau est dressé facilement, qu'il tient bien en place, alors ce sera une année riche, heureuse, marquée par la chance.
Ce que j'aime c'est que l'on voit des gens de tous les univers, des riches et des pauvres : c'est incroyable de voir le peuple afghan réuni ainsi. Normalement, dans ce pays, les gens ne se rassemblent pas car ils ont des avis différents sur la situation politique. Mais le jour de Nawroz, les Afghans sont heureux, ils se sont préparés, sont allés chez le coiffeur, ont revêtu des habits neufs, ils sont venus pour l'espoir. J'étais content de couvrir cette cérémonie, ce n'était pas un attentat suicide, pas une couverture de guerre : je savais que ce serait un jour particulier, un jour où j'allais voir des visages heureux. ❞

Massoud Hossaini

**Guy Laliberté à Baïkonour.
Kazakhstan.
30 septembre 2009**

Le tourisme spatial, réservé à quelques individus très fortunés, est né en 2001 en raison des problèmes budgétaires rencontrés par l'agence spatiale russe. Le premier du genre, Dennis Tito, avait déboursé 20 millions de dollars pour son séjour touristique spatial du 28 avril au 6 mai 2001.
En 2009, Guy Laliberté s'envolait du cosmodrome de Baïkonour vers la station spatiale internationale ISS.

" Le milliardaire canadien Guy Laliberté, fondateur du Cirque du Soleil, réalisait clairement un rêve d'enfant en se payant un voyage dans l'espace à 35 millions de dollars et la fantaisie d'y emporter un nez de clown.
Grâce à sa fortune personnelle, l'ancien cracheur de feu est devenu le premier clown de l'espace, un cadeau qu'il s'est offert pour son cinquantième anniversaire. Il disait vouloir « laisser la place à l'humour, même dans les choses sérieuses », et avait emporté neuf nez rouges, un pour chacun des occupants de l'ISS avec lesquels il a cohabité pendant deux semaines. "

Alexandre Nemenov

Concert de Grace Jones.
Festival de jazz de Montreux. Suisse.
7 juillet 2009

"Les photos de concert, c'est toujours un peu compliqué, un peu rapide, une sorte de figure imposée qui ne laisse pas beaucoup de temps. Les photographes sont lâchés comme des fauves dans la salle entre les spectateurs et l'artiste, ils peuvent travailler le temps de trois chansons, et après ils sont éjectés.
Il y avait une ambiance assez particulière à ce concert. C'était très… Grace Jones. Elle changeait de tenue à chaque chanson. J'étais sous son nez, elle avait ce chapeau délirant, ces yeux grands ouverts."

Fabrice Coffrini

Aung San Suu Kyi.
Rangoun. Birmanie.
4 novembre 2009

Il y a vingt ans exactement, Aung San Suu Kyi, 65 ans, secrétaire générale de la Ligue nationale pour la démocratie (LND), opposée à la dictature en place, remporte les élections générales en Birmanie. Des élections aussitôt annulées par la junte qui redoute cette frêle militante pacifiste, fortement influencée par la philosophie non violente du Mahatma Gandhi.
Prix Nobel de la paix, Aung San Suu Kyi connaît alternativement la « liberté surveillée », « l'assignation à résidence », la maison d'arrêt, la prison…

" On nous avait dit qu'on pourrait la prendre en photo. Une occasion suffisamment rare pour que les photographes se précipitent en rangs serrés devant l'hôtel de Rangoun où Aung San Suu Kyi devait rencontrer l'émissaire américain Kurt Campbell.

Une occasion unique pour moi, rédactrice de presse écrite, puisqu'en cinq ans d'AFP je n'avais jamais eu la possibilité de photographier la célèbre opposante pacifiste birmane. J'avais bien tenté d'acheter des photos d'elle auprès de confrères. En vain.

Nous n'avions droit qu'à cinq minutes de prises de vue. Et, avec mon petit appareil, j'avais réussi à me faufiler au premier rang.

Mais quand elle est arrivée, Aung San Suu Kyi s'est dirigée directement de la voiture vers Kurt Campbell. Si bien que nous ne pouvions la voir que de dos. J'ai crié, j'ai hurlé pour qu'elle se retourne. Et elle s'est retournée en nous gratifiant d'un sourire.

Nous restions tous sur notre faim. Alors nous avons décidé d'attendre qu'elle ressorte de l'hôtel, malgré les injonctions des autorités, que nous faisions semblant de ne pas comprendre.

Les entretiens ont duré plus de deux heures. Deux heures pendant lesquelles je cherchais un autre point de vue, tant j'étais bousculée. J'ai donc adopté une niche à l'endroit opposé. Enfin, elle a réapparu. Et j'ai pu à la fois manier la photo et la vidéo, des deux mains.

Rien n'est simple pour un journaliste à Rangoun. On court toujours un risque lorsqu'on couvre un événement, même en apparence anodin. Il faut toujours protéger ses sources et l'on n'est jamais très sûr de ce qui va nous arriver.

J'ai donc choisi de m'adresser aux autorités « sur le mode culturel », comme on dit : avec respect et amabilité. "

Hla Hla Htay

Visite de Muammar Kadhafi.
Italie.
10 juin 2009

Début de la première visite « historique » du colonel libyen Muammar Kadhafi en Italie. Les deux pays, qui ont entamé un rapprochement en matière d'économie et d'immigration, ont estimé que « la page du passé » colonial était tournée. Mais la visite du colonel libyen fait aussi grincer des dents en Italie, où ONG et responsables politiques dénoncent son bilan en matière de droits de l'homme.

❝ Mamma mia, il me faisait peur avec son regard dur, un regard de fou. Et son look… on aurait dit une mauvaise doublure de Michael Jackson.

Kadhafi devait rencontrer le président italien au palais du Quirinal. Il a ôté ses éternelles lunettes noires pour regarder le plafond, les tableaux. Il avait un visage très sérieux, il donnait l'impression d'avoir été catapulté dans un autre monde.

À peine quelques sourires de convenance et, lors de la conférence de presse, il s'est mis à fustiger l'Italie colonialiste. Il a fait un discours infiniment long, je n'avais jamais entendu quelqu'un parler aussi longtemps. En plus, ses deux interprètes n'étaient pas terribles, et comme il comprend l'italien, il les corrigeait…

Il y avait énormément de journalistes et de photographes. Pendant toute sa visite au Quirinal, nous nous sommes demandé ce que pouvait bien être cette photo qu'il arborait sur son uniforme militaire. On a su par la suite que c'était la photo d'un héros libyen de l'époque coloniale italienne, au moment de son arrestation par les soldats de Mussolini. ❞

Filippo Monteforte

Manifestation en faveur de Mir Hossein Moussavi. Téhéran. 15 juin 2009

Des centaines de milliers de personnes sont descendues dans les rues de Téhéran. Un manifestant a été tué par balles lors d'affrontements avec les policiers. C'est le début d'un mouvement de contestation qui durera plusieurs semaines et sera violemment réprimé par le régime iranien, faisant entre 36 et 72 morts selon les sources.

" Le camp du président sortant Mahmoud Ahmadinejad avait clamé la victoire dans les heures qui avaient suivi la clôture du scrutin. Dès le lendemain, des milliers de partisans de Mir Hossein Moussavi, son principal adversaire, étaient descendus dans les rues, en criant : « Où est mon vote ? »
J'avais couvert cette première manifestation, mais la situation était réellement dangereuse. Les policiers frappaient les manifestants à coups de bâton, de chaîne, et balançaient des grenades lacrymogènes. J'avais dû me cacher pendant deux heures chez une dame et je lui avais laissé mes appareils pour pouvoir retourner au bureau sans risquer d'être arrêté. Je pressentais que ces événements allaient prendre une ampleur historique.
Deux jours plus tard, le 15 juin, le camp Moussavi a organisé une manifestation à Téhéran, interdite par le pouvoir. Nous sommes partis avec d'autres photographes vers la place de la Révolution, en dissimulant nos appareils dans nos sacs.
Je n'en ai pas cru mes yeux : il y avait une mer de manifestants. Hommes et femmes, vieux et jeunes... Nous nous sommes mêlés à la foule et avons commencé à travailler.
Un peu plus tard, alors que nous observions la manifestation depuis le toit d'un immeuble, nous avons vu la voiture de Moussavi fendre la foule et se diriger vers la place de la Liberté, où il devait prononcer un discours.
Je me suis précipité vers la voiture, mais il était quasiment impossible de se frayer un chemin parmi les gens. Je n'avais jamais vu autant de monde.
C'est alors que Moussavi est monté sur le toit de sa voiture. Il a tenu son discours, et puis il a levé les bras... "

Behrouz Mehri

Explosion d'une mine.
Afghanistan.
13 juillet 2009

Le soir du 13 juillet 2009, dans le sud de l'Afghanistan, le sergent Michael W. Heede Jr. et le sergent-chef David S. Spicer se sont arrêtés un moment pour fumer.

" Il était 19 h 07, je les ai pris en photo. Aucun de nous ne savait que ce serait leur dernière cigarette.

J'étais « embedded » avec un journaliste de l'AFP, Ben Sheppard, au sein d'un bataillon de Marines américain dans la province du Helmand, un fief taliban dans le sud de l'Afghanistan.

Les États-Unis venaient d'envoyer des milliers d'hommes supplémentaires et préparaient une offensive pour sécuriser cette région à quelques semaines des élections présidentielle et provinciales dans le pays.

La patrouille dans laquelle j'étais intégré comptait 30 hommes. Leur mission était de repérer et désamorcer les IED, les engins explosifs artisanaux responsables de la majorité des morts dans les rangs des militaires américains. Il fallait nettoyer une route stratégique pour l'approvisionnement de postes américains avancés.

Dès le premier jour de la mission, le 8 juillet, le danger nous avait sauté à la figure. Alors que nous roulions vers un village reculé, le véhicule de tête de notre convoi avait déclenché l'explosion d'une mine et nous avions dû faire demi-tour. Pas de blessés graves. Le lendemain, nous avions été stoppés par une nouvelle explosion. Cette fois encore, il n'y avait pas eu de blessés, mais le véhicule avait été partiellement détruit. Nous avions dû passer la nuit et le jour suivant bloqués dans le convoi, en at-

tendant qu'un avion vienne larguer les pièces de rechange.

Le 10 juillet, alors que les Marines commençaient à déblayer la route devant nous, troisième explosion, déclenchée par un insurgé embusqué dans la zone. Cette fois encore, la chance était avec nous, personne n'a été blessé.

Durant la nuit qui a suivi, les talibans nous ont attaqués au lance-roquettes pendant une heure. Je me suis demandé combien de temps encore nous pourrions nous en tirer.

Finalement, ce 13 juillet ! Un point de rendez-vous a été fixé avec une unité d'appui. Mais une patrouille à pied a été jugée nécessaire pour sécuriser la route.

Vers 16 heures, la patrouille est partie. Avec, devant, l'équipe de démineurs munis de leurs appareils et des Marines qui cherchaient sur les bas-côtés de la route les fils ou détonateurs dissimulés. À une vingtaine de mètres derrière, Ben et moi, avec trois autres Marines.

C'était un travail minutieux. Nous faisions moins d'un kilomètre par heure. Et j'avais le temps de penser. Si les Marines laissaient passer une mine ? Si des insurgés nous observaient, attendant le moment parfait pour déclencher l'explosion ? À d'autres moments, j'étais envahi par un sentiment de léger ennui. Ben et moi nous prenions en photo pour passer le temps. Les enfants des villages voisins étaient venus observer notre lente progression.

Vers 19 heures, les trois Marines à côté de qui nous marchions depuis des heures se sont arrêtés pour fumer une cigarette. Nous avons discuté, j'ai pris des photos. Puis ils se sont remis en route vers l'unité d'appui que l'on apercevait enfin à quelques centaines de mètres plus loin sur la route.

Je ne sais pas très bien pourquoi, mais Ben et moi sommes restés en arrière. Je les ai regardés s'éloigner et j'ai pris quelques photos d'eux.

Je me suis tourné vers Ben pour lui dire quelque chose, et soudain une énorme explosion, 50 mètres devant nous, a fait trembler le sol. Je me suis retourné vers le bruit et j'ai photographié. Je ne sais pas ce qui tremblait le plus, de mes mains ou de la terre sous mes pieds.

À travers l'énorme nuage de poussière blanche, j'ai aperçu dans l'objectif une silhouette humaine, toute petite dans cette fumée, qui s'éloignait en courant.

Les débris tombaient autour de nous. J'ai commencé à m'approcher mais un Marine a hurlé à tous de rester immobiles et a commencé à faire l'appel.

Les sergents Heede, 22 ans, et Spicer, 32 ans, n'ont jamais répondu. Seuls leurs armes et des morceaux de corps ont été retrouvés. Le sergent Anthony Zabala, celui qui court sur la photo, est sorti sain et sauf de l'explosion.

Je me souviens pour ma part de m'être tourné vers Ben et de lui avoir dit : « Ben, nous sommes vivants. »

Manpreet Romana

**Manifestation à Antananarivo.
Madagascar.
16 février 2009**

Andry Rajoelina, le maire destitué d'Antananarivo, avait
appelé à un « sit-in ». Ses partisans devaient s'installer devant les ministères de la capitale malgache. Ce jour-
là, 10 000 manifestants s'étaient donc rassemblés pour
exiger le départ du président Marc Ravalomanana.
Madagascar est plongée depuis fin 2008 dans une crise
politique grave. Elle a conduit à l'éviction en mars 2009
du président Marc Ravalomanana par son principal opposant, M. Rajoelina, alors soutenu par l'armée.

En fait de sit-in, les partisans de Rajoelina
pourchassaient les forces de l'ordre à jets de pierre
et la police avait même dû se replier provisoire-
ment vers son QG.
Je pense que les policiers n'avaient de toute façon
pas envie de réprimer les manifestants dans la
violence, en raison des événements du 7 février :
la garde présidentielle avait alors tiré à balles
réelles contre les insurgés, tuant 28 personnes et
en blessant 212.
Depuis le 26 janvier, une centaine de personnes
avaient péri dans les affrontements qui avaient
éclaté à la suite du conflit entre les deux hommes.
Ce lundi 16 février, les forces de l'ordre ont fini
par revenir à la charge, cette fois avec des gaz
lacrymogènes. Les gens ont détalé, moi compris.
C'est alors que j'ai aperçu deux hommes assis au
sol, derrière une benne. Une image insolite ! Ils
bavardaient comme si de rien n'était, alors que
derrière eux la police s'approchait pour arrêter les
manifestants.
Sans doute suivaient-ils la consigne : ils faisaient
réellement un sit-in.

Walter Astrada

**Manifestation d'Indiens.
Équateur.
5 octobre 2009**

Devant le palais présidentiel de Quito, des Indiens
d'Équateur manifestent pour protester contre un projet
gouvernemental de privatisation de l'eau. Le mouvement
dure depuis plusieurs jours et a déjà donné lieu à des
affrontements entre Indiens et policiers.
La communauté indigène représente environ 35 % des
14 millions d'Équatoriens.

" Les Indiens criaient en quechua. Ils ont commencé à lever leurs lances : on aurait dit qu'ils per-
çaient le ciel. Ils n'étaient pas très nombreux, moins
de 2 000, mais c'était un spectacle très impressionnant. Menaçant… Pour la première fois de ma
vie, j'ai vu les policiers avoir peur. Ils ont reculé
d'un pas. Tout le monde était paralysé. J'ai couvert des centaines de manifestations à Quito, mais
je n'avais jamais vu la police reculer.
J'étais derrière les flics alignés en rangs serrés.
J'ai réussi à passer entre les jambes de l'un d'entre eux et je me suis retrouvé face aux Indiens,
seul.
Il y avait une telle force dans leurs visages, dans
leurs expressions… J'ai eu un peu peur moi
aussi. "

Pablo Cozzaglio

Pollution à Pékin.
26 novembre 2009

" Une journée rare que ce 26 novembre 2009. Ce matin-là, à travers l'épais brouillard qui ensevelit la ville, on peut entrevoir quelques étages des hautes tours de Pékin. Émergeant comme un mirage.

Je me rends sur une montagne voisine pour prendre des photos.

De là, la capitale chinoise m'apparaît d'abord tout entière recouverte d'une mer de nuages grisâtres. Les immeubles y sont complètement engloutis.

Mais, alors que le soleil se lève, le brouillard s'estompe doucement, quelques sommets de gratte-ciel se découvrent, nimbés par la lumière.

L'ensemble qui regroupe ces tours porte le nom de Jinyuan. C'est là que vit la communauté aisée du quartier de Wenling, qui se targue de défendre et de protéger l'environnement. Son développement a été spectaculaire au cours des dernières années. Les conditions d'habitat s'y sont nettement améliorées. Les tours, de plus en plus nombreuses, disposent de pièces plus spacieuses, d'un meilleur environnement. "

Jin Yang Wu

Parmi les 20 villes les plus polluées au monde, 16 sont chinoises, indiquait un rapport de la Banque mondiale publié en 2007. Chaque année, quelque 750 000 personnes en Chine mourraient prématurément de la pollution de l'air et de l'eau.

Barrage de Vacha.
Bulgarie.
25 avril 2009

" J'ai fait cette photo pour choquer. Je l'ai prise de haut, depuis le mur du barrage, de manière que cela ait l'air le plus immonde possible, pour montrer à quel point les gens ne font attention à rien en Bulgarie.

Le barrage est surplombé par une montagne, la montagne Rodopa, elle n'est pas très haute mais elle est très belle. Selon la légende, c'est là qu'Orphée est né et a vécu. Il y a plein de petits villages. Mais les habitants du coin et les touristes qui viennent se balader jettent leurs poubelles n'importe où dans la nature et, quand il pleut, toutes ces ordures, bouteilles et boîtes en plastique vont se jeter dans le barrage.

Je comprends que pour les Occidentaux cela puisse paraître bizarre mais en Bulgarie, d'une façon générale, les gens font ce qu'ils veulent, ils ne pensent qu'à l'argent et c'est tout. Ils ne se préoccupent pas de leur avenir, de celui de leurs enfants. Je trouve cela étrange et cela me rend pessimiste.

Chaque année, des volontaires viennent nettoyer le barrage et l'année d'après cela redevient aussi immonde.

Cette photo ne montre pas seulement un barrage rempli d'ordures mais aussi une mentalité. Je voulais dénoncer tout cela. "

Dimitar Dilkoff

Incendies en Grèce.
22 août 2009

Pendant cinq jours, de violents incendies ravagent les forêts de pins de la région d'Athènes sur un front de 30 kilomètres. Plus de 21 000 hectares sont dévastés au nord-est et à l'ouest de la capitale.

" La police a fermé la route, j'avance tout seul sur ma motocyclette, il n'y a personne. J'arrive du village de Grammatiko (près d'Athènes), déjà balayé par les flammes, vers celui de Kalentzi également menacé. Rapidement, je comprends que je ne pourrai pas revenir par le même chemin car le feu a changé de direction : il est maintenant derrière moi. Je n'ai pas de masque pour me protéger des flammes et de la fumée, ni de serviette ni même d'eau. Je continue et je dépasse un petit véhicule de pompiers qui tentent de protéger des fermes. Je fais encore quelques kilomètres mais je réalise que le feu est aussi devant moi, donc je reviens au niveau des deux pompiers qui se sont mis à l'abri dans un coin où il n'y a pas trop d'arbres.

Le vent est fort et le feu avance à toute vitesse. La photo montre l'un de ces pompiers criant à son collègue d'envoyer de l'eau autour de lui et autour de moi. Mais il n'y a pas d'eau. La seule chose que je peux faire, c'est prendre cette photo et attendre. Enfin l'aide arrive du ciel : des hélicoptères balancent de l'eau. Après quelques heures, le vent change de direction et le feu avec.

C'est le seul jour où je travaillerai sur ces incendies : une fois mes photos envoyées, j'ai un accident de motocyclette sur la route abîmée par le feu et par l'eau. Je passe les deux jours suivants à l'hôpital.

Pour moi, ce jour reste marqué par le danger. La photo montre comme on peut se sentir faible, même si on est un pompier aguerri, face à un feu en furie. J'avais aussi couvert les feux de 2007 dans le Péloponnèse. C'était encore pire : dans les petits villages disséminés dans les montagnes il y avait eu beaucoup de victimes. Sans parler du désastre écologique, énorme. "

Aris Messenis

2010

Inauguration de la tour Burj Khalifa.
Dubai.
4 janvier 2010

La tour Burj Khalifa, qui culmine à 828 mètres, est la plus
haute du monde. Elle a été inaugurée dans un émirat
ébranlé par une crise financière majeure. La dette publique
de Dubai est estimée à plus de 100 milliards de dollars.
La construction de la tour, entamée en 2004, a coûté
1,5 milliard de dollars, selon ses promoteurs. Elle comp-
tera 200 étages, dont 160 occupés par des appartements
ou des bureaux.

66 J'ai pris cette photo le jour de l'inauguration de Burj Khalifa, la plus haute tour du monde,
le 4 janvier 2010 au soir. Il y avait une foule monstre, les gens étaient massés sur l'esplanade au
pied de la tour et il y avait une estrade spéciale
pour le souverain de Dubai et les VIP. Les organisateurs ne nous ont pas laissés choisir nos
places, ils m'ont placé à un endroit précis. Je
ne savais pas quelles lumières allaient éclairer la
tour et comment prendre la photo rapidement.
Dès que les lasers ont commencé à jaillir et que
la fontaine dansante est entrée en action, j'ai
déclenché... En même temps, j'étais étonné,
ébloui par les jeux de lumière, le son et la fontaine dansante... 99

Karim Sahib

Pirate somalien.
7 janvier 2010

Le business de la piraterie au large de la Somalie a connu une croissance exponentielle ces dernières années : 12 attaques et tentatives en 2006, 35 en 2007, 168 en 2008, selon l'état-major des armées à Paris.
Les 3 700 kilomètres de côtes de Somalie, pays plongé dans la guerre civile et l'anarchie depuis 1991, figurent parmi les plus dangereux au monde.
Depuis le déploiement massif en 2008 de marines étrangères dans le golfe d'Aden, les attaques de pirates sur des navires marchands y sont devenues moins fréquentes. Mais ils ont élargi leur rayon d'action pour opérer plus au large dans l'océan Indien.

"Il y avait deux immenses cargos ancrés à quelques kilomètres de la ville de Hobyo et des pirates qui allaient et venaient en mer. Après dix jours passés à observer le pirate qui montait la garde le long de la côte et avoir appris à le connaître, il m'a finalement laissé le prendre en photo. C'était la première fois que je venais dans cette région. Un ami retrouvé sur place m'avait mis en relation avec des pirates."

Mohamed Dahir

Séisme à Port-au-Prince.
Haïti.
13 janvier 2010

" La jeune femme au corsage vert regardait dans tous les sens, elle semblait être devenue folle. Elle ne s'adressait à personne et répétait sans cesse holala, holala, holala… Dans ses yeux, je lisais l'histoire d'un pays malade qui venait de mourir en l'espace de 35 secondes. "

Thony Belizaire

Port-au-Prince, matin du 13 janvier 2010, sur le site détruit du Caribean Supermarket, le plus grand supermarché d'Haïti. La veille, à 16 h 53 locales, un énorme tremblement de terre d'une magnitude 7 sur l'échelle de Richter a ravagé l'île caribéenne.

Bilan du séisme : entre 250 000 et 300 000 morts, plus de 300 000 blessés et plus d'un million de personnes déplacées, selon l'ONU. La capitale Port-au-Prince a été réduite en cendres.

**Manifestations à Athènes.
24 février 2010**

Grèves générales et manifestations violentes ont émaillé le premier semestre 2010 en Grèce, pour dénoncer les mesures de rigueur draconiennes et la réforme des retraites adoptées par le gouvernement en contrepartie d'une aide du FMI. Le pays faisait face à une grave crise financière, avec une dette publique d'environ 300 milliards d'euros (115 % du PIB).

« Quand le gouvernement grec a annoncé des mesures drastiques pour réduire la dette, les syndicats ont appelé à la grève générale et à des manifestations. La présence de policiers anti-émeute, nécessaire ou non, a permis à de nombreux manifestants de diriger leur colère contre quelqu'un. Parfois je me demande si ce n'est pas une des raisons de leur présence.

Une photo a été prise tout près du Parlement, devant une banque. Je suivais les manifestants et, quand j'ai aperçu les policiers à cet endroit, j'ai senti que ça allait se crisper et je me suis rapproché. Des manifestants ont commencé à hurler, lancer des bouteilles d'eau et des détritus sur les policiers et d'autres à les affronter.

Ce n'était pas très violent mais il y a toujours du danger. Dans ce genre de situation, j'« enferme » ce que je ressens pour rester aussi neutre que possible. Les émotions sont pour le lecteur. Cette manifestation s'est terminée comme beaucoup d'autres à Athènes, avec du gaz lacrymogène et de nombreuses interpellations.

Lors d'une autre manifestation, dans le centre d'Athènes, cet homme dormait devant une banque fermée, avec au-dessus de lui des tags anti-flics. J'ai arrêté de travailler un moment et j'ai contemplé la scène : le SDF devant la banque. Notre civilisation « moderne » : le pays devrait au moins pouvoir fournir un lit au sec et un peu de nourriture à ces gens. C'était la première fois que je voyais cet homme.

Depuis, chaque fois que je passe à cet endroit, il est là.

Il vend des mouchoirs en papier pour gagner un peu d'argent. La seule chose que je puisse faire, à part cette photo, est de lui en acheter de temps en temps. »

Aris Messenis

Affrontements à Jérusalem-Est.
Israël.
16 mars 2010

De violents heurts opposent les forces de l'ordre israé-liennes et des manifestants palestiniens qui protestent contre l'inauguration d'une synagogue dans la Vieille Ville. Les émeutes ont commencé quelques jours auparavant, suite à l'annonce par le gouvernement israélien de nou-velles constructions à Jérusalem, y compris dans la par-tie orientale de la ville, annexée en 1967.

" Imaginez : deux minutes auparavant, le type avec le revolver donnait des coups de pied dans des pneus enflammés et portait un foulard vert du Hamas. Ce n'est que lorsqu'il a sorti son flingue que j'ai compris que nous étions entourés de flics israéliens en civil, qui s'étaient déguisés en mani-festants.

Les clashes duraient depuis plusieurs heures. Les Palestiniens jetaient des pierres, brûlaient des pneus, mettaient les poubelles en travers de la rue. Les flics tiraient des balles en caoutchouc, des lacrymos.

Nous, les photographes, nous nous trouvions entre les policiers et les émeutiers.

Tout à coup, j'ai entendu une détonation d'arme à feu. En un instant, une dizaine de policiers en civil se sont jetés sur des manifestants et les ont maîtrisés.

En fait, ils manifestaient avec les émeutiers depuis des heures, ils avaient repéré les leaders, ciblé ceux qu'ils voulaient arrêter, et ça s'est fait en un éclair.

Celui qui avait le pistolet protégeait ceux qui pro-cédaient aux interpellations. Il m'a braqué une seconde, avant de voir que j'étais photographe.

Et puis les autres policiers casqués et à cheval ont déboulé à toute allure, pour emmener les mani-festants arrêtés. Au total, la scène a duré moins d'une minute. "

Jack Guez

Prison en Afghanistan.
1er avril 2010

Le bastion taliban de Marjah, dans le sud de l'Afghanistan, est l'un des objectifs de l'opération Mushtarak (Ensemble) lancée le 13 février 2010. Elle met en œuvre des moyens militaires considérables, avec 15 000 soldats de l'Otan et de l'armée afghane. Il s'agit de la plus vaste offensive de l'Otan et des forces afghanes depuis la chute des talibans en 2001, et d'un premier test pour le président américain Barack Obama depuis qu'il a annoncé en décembre 2009 l'envoi de plus de 30 000 soldats américains supplémentaires, dans le cadre de sa nouvelle stratégie pour l'Afghanistan.

" Je me trouve dans le coin sombre de la pièce. Le détenu, qui vient de finir son repas, est surveillé par un Marine. Quelques instants auparavant, un autre soldat est entré sans me voir, a fait lever le prisonnier et l'a plaqué contre le mur. Il lui a frappé les jambes avant de lui crier dans les oreilles : « Lève-toi, connard. Dis-moi où sont ces putains de talibans… Je vais te tuer, salaud. » Quand le Marine a entendu le déclencheur de mon appareil photo, il est sorti immédiatement de la salle en tapant dans une bouteille d'eau, tandis que son acolyte a rallumé la lumière de son arme. "

Mauricio Lima

**Occupation de l'usine Sodimatex.
Crépy-en-Valois.
1ᵉʳ avril 2010**

À l'issue de deux jours d'occupation de l'usine, un accord de principe est conclu entre les salariés et la direction, portant notamment sur les indemnités de départ.

"

Il est 18 heures, nous roulons vers l'usine d'équipement automobile Sodimatex de Crépy-en-Valois, à 65 kilomètres au nord de Paris. Les salariés menacent de tout faire exploser. Ils ont piégé une bonbonne de gaz.

Histoire à la fois exceptionnelle et ordinaire : depuis quelques années, les conflits sociaux aboutissant à des actions spectaculaires (séquestration de dirigeants, menaces d'explosion ou de pollution) se multiplient en France.

J'aperçois une colonne de fumée, qui provient de trois bennes obstruant l'entrée arrière de l'usine au bout d'une rue vide. La route, recouverte de mousse, est jonchée de grenades lacrymogènes, d'extincteurs vides et de bobines de fil. Un salarié qui fait le guet m'explique comment rejoindre l'intérieur de l'usine.

Je visite les hangars pendant qu'à l'arrière un piquet de grève se met en place, certains préparent un barbecue, d'autres donnent des interviews. J'observe de loin, assis sur un rouleau de moquette à côté de François qui me raconte l'histoire. Il a 42 ans dont 21 passés chez Sodimatex. D'abord familiale, l'usine a été rachetée en 1990 par un grand groupe. Il a vu la proximité et le respect entre un patron et ses employés disparaître jusqu'à cette fermeture annoncée il y a un an. Le silence de la direction, la grève des salariés, et l'exaspération qui est montée.

C'est l'histoire de sa vie. Les collègues de François finissent de répondre aux questions de mes confrères, j'ai la sensation que cet intérêt médiatique leur regonfle le moral.

La rédactrice de l'AFP est arrivée, nous envoyons texte et photos depuis un bureau de l'usine. Des

salariés intrigués nous rejoignent. La discussion
dure, ils se livrent un peu plus, on leur montre
notre travail.
Une trentaine de salariés et deux journalistes restent dormir à l'usine. Le lendemain, l'ambiance
est tendue au réveil. Un rendez-vous avec la direction est prévu à la mi-journée. En fin de matinée,
les journalistes sont priés de sortir définitivement
de l'usine, une partie des ouvriers se barricade
à l'intérieur, d'autres se rendent, en délégation, à
la mairie. Le reportage se termine ici pour moi.
Sur le chemin du retour, je fais demi-tour et
repasse devant l'usine. Ils sont fidèles au poste.
Poignées de main à travers le grillage.**

Lionel Bonaventure

Éruption du volcan Eyjafjallajökull.
Islande.
19 avril 2010

Le volcan islandais Eyjafjallajökull s'est réveillé le 14 avril 2010, crachant d'énormes quantités de cendres qui ont perturbé le trafic aérien en Europe pendant plusieurs semaines. Plus de 100 000 vols ont été annulés et plus de 8 millions de passagers bloqués sur le seul mois d'avril.

❝ La première fois que j'ai aperçu le volcan Eyjafjallajökull, je me trouvais à plus de 150 kilomètres. À la sortie de Reykjavik, la route montait jusqu'à un large plateau fait de lave. Au loin, une forme se distinguait et vomissait un nuage de cendres dans les airs. Quelle vue ! Plus nous nous rapprochions du volcan et moins nous le voyions : il disparaissait progressivement sous une couverture nuageuse.

Une dizaine de kilomètres plus loin, le ciel s'est éclairé, le soleil brillait et nous pouvions voir « la bête ». Je me suis arrêté pour le photographier. Une patrouille de police s'est arrêtée et nous avons dû montrer nos autorisations. Le policier nous a conseillé d'être prudents car les cendres tombaient sur la route, réduisant la visibilité. Nous avons poursuivi notre périple autour du volcan : un rideau de cendres nous bloquait la route et nous n'avions pas d'autre choix que de le franchir.

À l'intérieur de ce nuage, un vent violent frappait notre véhicule, des explosions se faisaient entendre autour de nous. Nous ne savions pas où nous nous trouvions et nous nous contentions de suivre le balisage. Nous avons ensuite aperçu des signes témoignant de la présence d'un village. Après quelques instants, nous avons trouvé des maisons. J'ai décidé de marcher en essayant de ne pas me perdre. C'est ainsi que je suis arrivé devant cette église, qui apparaissait comme un phare au milieu du nuage noir. Nous avons passé l'après-midi à sillonner de village en village : la plupart des fermes étaient désertes. Ce 19 avril 2010, passé dans un nuage, était à la fois effrayant et fascinant. ❞

Emmanuel Dunand

Marée noire.
Golfe du Mexique. États-Unis.
8 mai 2010

Le 20 avril 2010, soit vingt et un ans après l'*Exxon Valdez*, l'explosion de la plate-forme pétrolière Deepwater Horizon, exploitée par la compagnie pétrolière britannique BP, a entraîné la pire marée noire de l'histoire des États-Unis.

Le Cessna avait été modifié afin de pouvoir en ouvrir une fenêtre. Depuis cet avion léger, on distingue une partie des îles Chandeleur, plus habituées à affronter des tempêtes que des nappes de brut. Nous sommes le 8 mai 2010. Montrer l'ampleur du drame n'a pas été chose aisée lors des premiers jours : l'essentiel du pétrole restait sous l'eau et n'était pas observable à la surface. Ce n'est qu'à partir de la troisième semaine, quand elle a atteint les côtes, que la marée noire a été visible.

Mark Ralston

Shanghai.
2 mai 2010

De mai à octobre se tenait à Shanghai l'Exposition universelle 2010, la plus grande de tous les temps. Les organisateurs tablaient sur au moins 70 millions de visiteurs. L'Expo 2010, à laquelle participaient 189 pays et une cinquantaine d'organisations, était considérée par la Chine comme une occasion de montrer sa nouvelle puissance.

❝ Ce jour-là, j'avais un peu de temps. J'ai pris une série de photos sur ce chantier. Le vent était glacial et les ouvriers s'abritaient derrière ce container pour déjeuner.

Ce sont des ouvriers migrants, peu qualifiés, qui n'ont le droit d'occuper que certains postes, notamment dans le bâtiment. Ils sont au plus bas de l'échelle sociale mais ce sont eux qui construisent Shanghai, ses gratte-ciel sophistiqués et ultramodernes, où ils ne mettront jamais les pieds.

Entre la scène et les immeubles au fond, il y a une énorme artère, toujours très embouteillée. Les perspectives s'entrechoquent, en un équilibre instable qui est aussi celui du développement économique effréné de la Chine. ❞

Philippe Lopez

**Mark Zuckerberg, patron de Facebook.
Californie.
26 mai 2010**

" À 26 ans, on dirait un ami de mes filles plutôt qu'un homme d'affaires milliardaire. Soupçonné de revendre les profils des utilisateurs de Facebook pour rendre le site plus attrayant aux annonceurs, il répond que son but n'est pas de gagner de l'argent mais d'améliorer son site. N'a-t-il pas refusé à 22 ans une offre de Google qui voulait s'offrir sa compagnie pour un milliard de dollars ? "

Gabriel Bouys

Conférence de presse de Mark Zuckerberg, dont la fortune est estimée à 4 milliards de dollars (Forbes 2010). Il est le cofondateur de Facebook (400 millions de membres).

**David Cameron et Nick Clegg.
Grande-Bretagne.
12 mai 2010**

Le 12 mai 2010, la Grande-Bretagne se dote de son premier gouvernement de coalition depuis 1945. Les élections législatives du 6 mai ont été remportées par les conservateurs, mais ces derniers n'ont pas obtenu de majorité absolue. Après cinq jours de suspense, le Premier ministre travailliste Gordon Brown démissionne, laissant la voie libre à un accord de partage du pouvoir entre les conservateurs de David Cameron et les libéraux-démocrates de Nick Clegg. Cameron devient Premier ministre, et Clegg vice-Premier ministre.

" Enfin ! Après plusieurs jours d'incertitude, la nouvelle coalition gouvernementale avait un visage, deux visages exactement, et ils étaient tous les deux devant le 10, Downing Street. La cou-verture de ces élections avait été difficile et, avec les négociations politiques à huis clos, les photographes n'avaient pas eu grand-chose à se mettre sous la dent.

Lorsque Cameron et Clegg sont parvenus à un accord, je savais que je voulais une photo qui symboliserait leur alliance inattendue et improbable. Un an auparavant, personne n'aurait imaginé que les conservateurs et les libéraux travailleraient ensemble, et aujourd'hui ils étaient là, face à face devant le 10, Downing Street.

Je voulais saisir la façon dont ils se regardaient l'un l'autre. Cameron avait l'air confiant, Clegg un petit peu moins. Mais il y avait entre eux un éclat de complicité, qui s'est révélé un peu plus tard lors de leur première conférence de presse commune, où ils sont apparus détendus et plaisantant ensemble. "

Carl de Souza

**Penélope Cruz.
Cérémonie de clôture
du festival de Cannes.
23 mai 2010.**

L'acteur espagnol Javier Bardem a reçu le prix d'interprétation masculine pour son rôle dans *Biutiful* du Mexicain Alejandro González Iñárritu. « Je partage cette joie avec ma compagne, mon amour Penélope que j'aime tant, et à qui je dois tant de choses : je t'adore ! » a-t-il dit en recevant son prix.

❝

Je suis sur une des positions privilégiées au pied de la scène. Théoriquement, les photographes n'ont pas le droit de se retourner pour prendre des photos de la salle, ils doivent rester l'objectif tourné vers la scène. Un quart d'heure avant le début de la cérémonie, je vois entrer Penélope Cruz par une porte latérale. Elle n'a pas monté une seule fois les marches lors de cette édition, peut-être pour ne pas faire de l'ombre à son compagnon Javier Bardem, dont tout le monde se doute qu'il obtiendra un prix ce soir. Penélope s'assoit entre Bardem et la mère de ce dernier. Je surveille.

À un moment, l'acteur se lève et part vers la scène, j'ignore pourquoi, mais je vois Penélope Cruz qui se redresse et qui regarde quelque chose, son compagnon, peut-être. Elle est droite, en arrêt, lumineuse, je fais la photo. Quelques instants après, elle se met à pleurer et se rencogne dans son fauteuil, je ne sais absolument pas pourquoi. C'est le grand mystère Penélope Cruz.

Je ne sais pas ce qu'elle regardait vers la scène, je n'ai pas voulu me retourner pour le savoir, parce que sinon j'aurais perdu cette photo-là, cet instant précis. ❞

Valéry Hache

Coupe du monde de football.
Knysna. Afrique du Sud.
20 juin 2010

" Je prends une des navettes qui nous emmènent jusqu'au « field of dreams », ce terrain où
nous avons le droit de toucher du doigt le rêve bleu
un quart d'heure par jour. Aujourd'hui c'est fête,
l'entraînement est ouvert au public et aux médias !
Ce n'est que la deuxième fois depuis le début de
la Coupe du monde. Mais l'ambiance est étrange.
La veille, Nicolas Anelka a fui après avoir été exclu
pour insultes lancées à Raymond Domenech.
Première surprise, les joueurs vont vers le public.
La fois précédente, ils étaient remontés dans leur
bus sans un regard pour leurs fans transis de froid
sous la pluie. Une opération séduction ?
Evra reste au milieu du terrain et… s'embrouille
avec Robert Duverne, le préparateur physique.
Duverne est ceinturé par Domenech et part furieux
en jetant son chronomètre au bout du terrain. Ça
s'échauffe parmi les 200 journalistes présents.
Soudain, une forme se déplace. C'est Jean-Louis
Valentin, énarque, directeur délégué de l'équipe
de France, qui gravit la colline entourant le terrain
d'entraînement. Il s'enfuit ! Je cours. Les questions
fusent. « J'ai honte, je repars à Paris, ils ne veulent
pas s'entraîner, je démissionne », lâche le quadra
en jean, baskets et haut de survêt trois bandes.
Clic-Clac. Je me retourne. Nos amis les Bleus s'en-
gouffrent dans leur bus. Les rideaux se tirent.
Domenech et son président Jean-Pierre Escalettes
y montent aussi. Prise d'otages ? Les boîtiers s'alig-
nent. Chacun essaie d'apercevoir quelque chose
derrière les rideaux. Les minutes passent : 45 ! Ça
bouge ! Domenech, une feuille à la main, sort du
bus et se dirige vers la presse. Les policiers
assurent un espace vital au sélectionneur. C'est
quoi cette feuille ? La liste des « traîtres » décou-
verts ? Ceux qui parlent à la presse ? Cerné par
micros, caméras et stylos, raide, d'une voix mono-
corde, Domenech lit le texte. J'appuie. La scène
est surréaliste. Que dit-il ? Oh… les Bleus se mettent en grève d'entraînement en signe de solida-
rité avec Anelka… Et c'est Domenech qui lit leur
communiqué…
Ils sont la risée du Mondial et du monde. La photo
va faire le tour de la planète. "

Franck Fife

Deux jours plus tard, l'équipe de France perdra face à
l'Afrique du Sud et sera éliminée de la Coupe du monde
après un premier tour catastrophique, tant pour son jeu
que pour son image.

Remerciements à Cécile Feuillatre, Déborah Pasmantier, Annick Benoist,
Gersende Rambourg, Mehdi Cherifia, Philippe Sauvagnargues,
pour leur contribution à la rédaction des textes.

Olivier Laban-Mattei, Birmanie

Conception graphique : Paul-Raymond Cohen

Photogravure : IGS-CP

Achevé d'imprimer en septembre 2010
sur les presses de l'imprimerie Castelli Bolis, Italie

ISBN : 978-2-20710953-3
N° d'édition : 177237
Dépôt légal : septembre 2010